D0539252

Crisis-checklist

Marieke Henselmans

Crisis-checklist

*voor verwende veelverdieners, geschrokken werklozen,
levensgenieters en besparingshaters die niet als
een bank willen omvallen*

Uitgeverij Carrera, Amsterdam 2009

You never walk alone

Dus dank aan:
De mensen van sparenpagina.nl: Hanneke van Veen, Barbara de Haan en Rob van Eeden; de economieredactie en de Geld en Recht redactie van het *AD*, de mensen van het Nibud, Heleen van der Sanden en Mar Oomen van *Genoeg Magazine*, Harold de Croon, Ravi van Leeuwen (computer-EHBO) en de Henselmannen Kees, Stef, Joep, Daan en Gijs voor correcties, steun en inspiratie.

Dit boek is met zorg samengesteld. Desondanks aanvaarden de auteur en de uitgever geen aansprakelijkheid voor schade die voortvloeit uit eventuele onvolledigheden en/of onjuistheden. Auteur en uitgever zijn geen professionele beleggings-, financieel, fiscaal, economisch, juridisch of verzekeringsadviseurs. Vraag advies aan (liefst meerdere) erkende en betrouwbare deskundigen.

Heb je aanvullingen of vragen? Je kunt de auteur mailen: marieke@nooitmeerrood.nl.

© 2009 Marieke Henselmans
© 2009 Uitgeverij Carrera, Amsterdam
Omslagontwerp DPS Design & Prepress Services, Amsterdam
Zetwerk Mat-Zet BV, Soest
Auteursfoto Geert Snoeijer

ISBN 978 90 488 0185 5
NUR 793

www.uitgeverijcarrera.nl

Uitgeverij Carrera is een imprint van Dutch Media Uitgevers bv.

Inhoud

Voorwoord

Dat de kredietcrisis de oceaan is overgestoken en dat hier en daar banken omvallen, wil nog niet zeggen dat wijzelf op instorten staan. Je leest veel in kranten en ziet de ene na de andere deskundige aan het woord in actualiteitenrubrieken en bij *De Wereld Draait Door*. Matthijs van Nieuwkerk sluit zijn spervuur van vragen en interrupties meestal af met de vraag: 'Kunnen we rustig gaan slapen?' Ik zou de vraag anders stellen: 'Kunnen we zelf iets doen?'

Dit boek gaat niet over de economie, maar over ons. Wat zijn de gevolgen van deze crisis voor ons, niet als land maar als individu?

Op nationaal niveau lijken de gevolgen mee te vallen. De Icesave-spaarders hebben, als het goed is, hun geld tot de opgehoogde garantie van 100.000 euro vóór de kerst in huis gekregen. Het kan zijn dat je beleggingen minder waard zijn geworden, je hypotheeklasten stijgen, de huizenprijzen iets dalen en je koopkracht iets afneemt. En ja, er kan een recessie komen en de werkloosheid zal stijgen. Het kan zijn dat je iets minder te besteden hebt, nu of straks. Ja, dús...?

Weer is de vraag: 'Kunnen we zelf iets doen?' in plaats van: 'Kunnen we rustig gaan slapen?' Het antwoord is: 'Ja.' Veel mensen voelen zich niet zeker als het over geldzaken gaat. We hebben ons laten adviseren, en meestal zijn we het eens met de laatste die we spraken. Bij geldzaken hebben we vaak het idee dat iedereen het beter weet dan wijzelf. Je staat echter een stuk relaxter in het leven als je zelf een mening vormt over je eigen geldzaken.

Deze crisis is daar een perfecte aanleiding voor en dit boek is daarbij een hulpmiddel. Elk hoofdstuk begint met een checklist. Heb je een idee van je eigen saldo en je eigen uitgaven?

Benut je alle mogelijkheden om wat meer te verdienen en minder te betalen aan van alles en nog wat? Maak je vaak ruzie over geld? Heeft de commercie invloed op je? Zou je meer willen sparen en weet je waarvoor? Elk hoofdstuk roept op om over deze vragen na te denken. Elk hoofdstuk komt met informatie. En daagt je uit: zou je niet een paar dingen in je eigen aanpak willen veranderen?

Geldzaken zijn in elk geval niet moeilijk. Ook is aangetoond dat wie meer greep op zijn eigen geld en eigen leven heeft, zich daar beter bij voelt. Je kunt namelijk, bijna ongeacht je budget, prioriteiten stellen, keuzes maken. Waar wil je je geld in elk geval aan besteden? Op welke posten valt te besparen zonder in te leveren op comfort? Is je salaris marktconform? Maak je gebruik van alle mogelijkheden en inkomensaanvullingen? Hoe kun je veilig sparen? Of toch gaan beleggen, juist nu de koersen laag zijn?

Als het aan mij ligt, gaan we niet klagen, bang zijn of ons gek laten maken. Wanneer je geldzaken goed op orde zijn en je wat meer kunt reserveren, weet je alvast dat je tegen een stootje kunt. Wanneer je goed door een wat mindere periode komt voel je je sterker dan ooit. Straks kunnen we aan onze kleinkinderen vertellen dat we de crisis van 2008-2009 hebben overleefd. En hoe!

Hopelijk doen die kleinkinderen het dan beter dan hun eigen ouders – ónze kinderen – het deden in hun jeugd. Uit recent onderzoek blijkt namelijk dat twee derde van de jongeren bijna niets weet van geld. Hmm. Zou dat erfelijk zijn? Je kúnt erachter komen dat creatief, verstandig en volwassen met geld omgaan ontzettend leuk is, en het goede nieuws doorgeven aan de volgende generatie.

Marieke Henselmans
Januari 2009

1. Overzicht en administratie

Je administratie is het fundament van een relaxte omgang met geld.

Voor het tv-programma *Geen cent te makken* (waarin ik samen met Peter van der Vorst mensen met geldproblemen probeerde te helpen) kwamen we een keer bij mensen die een redelijk inkomen hadden. Bij elkaar stonden ze niet meer dan zo'n duizend euro rood. En toch lagen ze daar wakker van, omdat hun administratie achterop was geraakt en ze werkelijk geen flauw benul hadden hoe ze ervoor stonden.

De post (geopende en nog gesloten enveloppen door elkaar), de rekeningen (idem) en de belangrijke papieren lagen verspreid door het hele huis. Een deel (ook ongeopende post) was in plastic zakken gestopt en in de gang gezet. Andere zakken stonden in de schuur. De hulptroepen hadden er een gigaklus aan alle papieren te verzamelen en te sorteren. Een hypotheekakte werd tussen de oude kranten gevonden, samen met een uit een bak met groente gerolde ui. Het huis was verder schoon, gezellig en opgeruimd, de kinderen waren lief en gezond. Alleen het papierwerk was een kleine twee jaar blijven liggen.

Het eerste wat ons te doen stond, was orde scheppen in deze chaos. Alle papieren werden gesorteerd, waarbij bleek dat er ongelooflijk veel weg kon. Er ontstonden verschillende stapels: rekeningen, polissen, papieren van de belasting en papieren die niets met geldzaken te maken hebben maar toch bewaard moeten worden, zoals inentingsbewijzen, garantiebewijzen en erg veel foto's. Daarnaast bleef een klein stapeltje papieren over waar dringend iets mee moest. Toen alles was gesorteerd, hielden we twee overzichtelijke mappen over én het kleine stapeltje 'moest nog'. Het stel bladerde daar ongelovig doorheen en was enorm opgelucht: was dat alles waarmee ze achterliepen? Om uit het rood te komen hoefden ze maar een paar maanden íéts beter op te letten en alles kwam in orde.

Zo erg als bij bovenstaand stel zal het bij de meeste lezers vast niet zijn. Om iets beter met geld om te gaan is overzicht over je geldzaken nodig. Kun je onderstaande vragen beantwoorden?

Checklist overzicht en administratie

	nee	soms	ja
- Ten minste wekelijks open en lees ik de post.	☐	☐	☐
- Alle post die bewaard moet krijgt een vaste plek.	☐	☐	☐
- Rekeningen betaal ik ten minste maandelijks.	☐	☐	☐
- Overbodige papieren doe ik na afhandeling weg.	☐	☐	☐
- Ik weet wat ik moet bewaren en wat weg kan.	☐	☐	☐
- Belangrijke papieren sorteer en bewaar ik zodanig dat ze ook zijn terug te vinden.	☐	☐	☐
- Pinbetalingen en creditcarduitgaven noteer ik zodra ze gedaan zijn.	☐	☐	☐
- Ik ontvang geen papieren bankafschriften meer.	☐	☐	☐
- Maandelijks bekijk ik de bankrekening.	☐	☐	☐
- Ik weet welke inkomsten wanneer te verwachten zijn.	☐	☐	☐

	nee	soms	ja
- Ik weet welke rekeningen wanneer komen.	☐	☐	☐
- Het valt mij op als inkomsten te laat komen.	☐	☐	☐
- Ik zoek het uit als er posten die ik niet direct herken van mijn rekening zijn afgeschreven.	☐	☐	☐
- Ik maak voor de komende maand een klein plan.	☐	☐	☐
- Ik weet wat mijn totale inkomen is.	☐	☐	☐
- Ik weet hoeveel er nog van mijn saldo af gaat aan betalingen die al gedaan zijn, maar nog niet zijn afgeschreven.	☐	☐	☐
- Geld dat overblijft gaat zo snel mogelijk naar mijn nog te betalen rekeningen of spaarrekening.	☐	☐	☐
- Ik weet zeker dat mijn verzekeringen niet overlappen.	☐	☐	☐

Heb je bij het merendeel van de vragen 'ja' kunnen invullen? Dan kun je dit hoofdstuk grotendeels overslaan. Ga door naar het overzicht op bladzijde 19 en vul dat in.

Heb je meer dan tien keer 'soms' of 'nee' ingevuld? Dan ben je vast zo'n dynamische twintiger of dertiger die het ouderwets en/of tuttig vindt om goed op geldzaken te letten.

Het kan zijn dat je je al maanden ongerust maakt over de huidige economische malaise en wat die voor jou gaat betekenen, en die ongerustheid is waarschijnlijk terecht. Dit is hét moment om wat efficiënter met je administratie en geldzaken om te gaan. Het zal je echt meevallen.

In het *Volkskrant Magazine* stond een paar jaar geleden een groepsinterview met een stel succesvolle, hoogopgeleide vrouwen. Die zaten daar tegen elkaar op te scheppen hoe vaak en hoe hevig ze rood stonden. Dat, haha, de pinpas het ineens niet deed, en dat ze dan met een creditcard pinden en het overboekten, of iets dergelijks. Ze waren er echt trots op dat ze zo chaotisch omsprongen met hun geld; ze vonden het waarschijnlijk beneden hun waardigheid om op geld te letten. Dat is toch bijzonder vreemd. Want meer uitgeven dan je hebt, daar hoef je nu echt helemaal niets voor te kunnen. Echt iedereen kan het. En als het niet in je opkomt, brengt de bank je wel in verleiding. Echt rijke mensen ('oud geld', zeg maar), die leven sober. Ze onderhouden hun landgoed, doen twintig jaar met een colbertje en voeren een keurige administratie. Het is echt een misverstand dat het swingend, stoer, jong en grappig is om geen overzicht over geldzaken te hebben.

Overzicht

Vroeger, in de tijd van je (groot)ouders, was het normaal om uitgaven bij te houden in een 'huishoudboekje'. Het was toen trouwens ook eenvoudiger. Je kreeg je inkomen contant, in een echt zakje. Je betaalde de huur contant, kocht brandstof zoals turf of kolen, eten, en als er wat overbleef kleding, schoenen of extra's. Het geld werd verdeeld over de verschillende posten.

Als het op was, dan was het op. Kom daar nu nog eens

om. Inkomsten komen op alle mogelijke tijdstippen in de maand, om de maand of per kwartaal binnen. Betalingen worden gechipt en gepind, gecreditcard, geflapt en getapt. Op deze manier is het moeilijker dan vroeger om overzicht te houden, maar des te meer nodig en nuttig. Dus mijn voorstel is: zoek één keer alles uit. Het kost je hooguit een dag en de winst is groot. Hoe begin je?

1. Haal alles uit de enveloppen en gooi de enveloppen meteen weg.
2. Maak van de inhoud stapeltjes naar onderwerp:
   - salarisstroken of uitkeringspapieren;
   - toeslagen;
   - belasting;
   - bankafschriften;
   - huur of hypotheek;
   - gas, elektriciteit en water;
   - heffingen gemeente en waterschap;
   - telefoon, kabel, internet;
   - zorgverzekering;
   - andere verzekeringen (inboedel, opstal, aansprakelijkheid, begrafenis);
   - autokosten (verzekering, wegenbelasting, onderhoud en benzine);
   - bonnen van grote aankopen plus garantiebewijzen.
3. Leg de stapeltjes op volgorde van datum, de meest recente bovenop. Stop de stapeltjes vervolgens ieder in een eigen mapje, een eigen laatje, vakje, zichtmap o.i.d.

Moet je alles bewaren?

- Salarisstroken of uitkeringspapieren: bewaar alleen die van het laatste jaar. Behalve jaaropgaven: die bewaar je allemaal.
- Gegevens over toeslagen en belasting: bewaar ze van de laatste vijf jaar.
- Huurcontract en jaaroverzichten zorgvuldig bewaren, net als hypotheekakte.
- Rekeningafschriften: doe ze op volgorde van datum in een mapje, de meest recente bovenop.
- Rekeningen: facturen die zijn betaald en waar verder geen problemen mee zijn, kunnen weg (dat ze betaald zijn is immers op afschriften te vinden). Maak een aparte stapel van herinneringen en brieven van deurwaarders.
- Telefoon, kabel, internet: contracten en abonnementgegevens goed bewaren.
- Verzekeringen: polisbladen van de laatste vijf jaar bewaren. Rekeningen kunnen weg, behalve van de zorgverzekering en medische kosten die gedeclareerd kunnen worden. Maak een mapje van rekeningen die dit jaar gedeclareerd zijn en een mapje rekeningen die nog gedeclareerd gaan worden.
- Aankoopbonnen van artikelen waar garantie op zit en andere garantiebewijzen moeten bewaard blijven. Hier moet de nieuwste juist onderop. Als je een nieuwe aan het stapeltje toevoegt, kijk dan meteen of de bovenste garantiebewijzen niet meer geldig zijn en dus weg kunnen.

Duiken er ook andere belangrijke papieren op? Diploma's, inentingsbewijzen, dierenartspapieren, foto's, cadeaubonnen, verjaardagskaarten, lieve briefjes en dergelijke?

Koop voor elk kind een harmonicamap waar je zijn belangrijke papieren in kunt bewaren: groeiboekje, inentingsbewijzen, zwemdiploma's, rapporten van school, uitslag Cito-toets, diploma middelbare school, pukcode van hun mobieltje, pincode van zijn eerste pasje, ID-bewijs, burgerservicenummer (voorheen sofinummer), contracten van zijn eerste baantjes, aankoopbonnen van hun eerste dure spullen, plus gebruiksaanwijzing, garantie en dergelijke.

Maak voor elk kind een map met stickers op de vakjes. Of gebruik een schoenendoos om leuke briefjes, kaarten en privézaken in te bewaren.

Tip!
Ontvang je geen papieren bankafschriften meer, en merk je dat dat je verhindert overzicht te krijgen? Regel dan dat je weer papieren afschriften krijgt.

Papieren weggooien?
Rekeningen waar je naam, adres en rekeningnummer op staan kun je beter niet bij het oud papier doen. Fraudeurs kunnen ermee aan de slag en proberen je rekening leeg te halen. Dit soort papieren kun je dus beter door een *shredder* halen. Deze zijn soms in de aanbieding bij de voordeelsuper, of misschien kun je op je werk papier vernietigen. De prehistorische methode kan ook: adresgegevens uit het A4'tje scheuren en in de barbecue verbranden.

Papieren bewaren?

Neem een ordner met tabbladen. Perforeer de te bewaren papieren en berg ze op achter hun eigen tabblad. Of stop de verschillende stapels op onderwerp in zichtmappen. Een etiket is niet nodig, want aangezien de mapjes transparant zijn, zie je aan het logo wat erin zit. Die zichtmappen kunnen in een doos of ladekastje.

Nu je alle papieren hebt gesorteerd, is het niet moeilijk dit overzicht in te vullen aan de hand van de afgelopen maand.

INKOMSTEN			
Salaris 1	€............	Studiekosten	€............
Salaris 2	€............	Kinderopvang/-hulp	€............
Belastingteruggave	€............	Contributies vereni-	
Heffingskorting	€............	gingen	€............
Vakantiegeld	€............	Abonnementen	€............
Alimentatie	€............	Openbaar vervoer	€............
Kinderbijslag	€............	Wegenbelasting	€............
Kindgebonden -		Autoverzekering	€............
budget	€............	Onderhoud auto	€............
Huurtoeslag	€............	Benzine/diesel/gas	€............
Zorgtoeslag	€............	Kleding en schoenen	€............
Andere inkomsten	€............	Inventaris	€............
		Onderhoud huis en	
TOTAAL	€............	tuin	€............
		Extra ziektekosten	€............
KOSTEN		Hobby's	€............
Huur/hypotheek	€............	Uitgaan	€............
Servicekosten	€............	Vakantie	€............
Gas/huisbrandstoffen	€............	Voeding en snoep	€............
Elektriciteit	€............	Alcohol en frisdrank	€............
Water	€............	Huisdieren	€............
Reinigings- en		Roken	€............
rioolrecht	€............	Kapper/toilet/	
Waterzuiverings-		make-up	€............
heffing	€............	Te betalen rente	€............
Kabel	€............	Aflossing lening	€............
OZB	€............	Aflossing postorder-	
Telefoon vast	€............	bedrijf 1	€............
Mobiel 1	€............	Aflossing postorder-	
Mobiel 2	€............	bedrijf 2	€............
Internet	€............	Cadeaus	€............
Opstal-/brandverze-		Giften/goede doelen	€............
kering	€............	Overige uitgaven	€............
Zorgverzekering	€............		
Levens-/uitvaartver-		**TOTAAL**	€............
zekering	€............	**OVERSCHOT/**	
WA-verzekering	€............	**TEKORT**	€............
Andere verzekeringen	€............		

Boekentips

Via www.nibud.nl is een handige hulp voor de administratie te koop, namelijk de tabbladenset *Waar blijft het geld? Bewaren*.

Het zijn rare jongens, die Amerikanen. In zijn boek *In alle staten* (geschreven vóór de kredietcrisis) vertelt Max Westerman met humor en warmte over het land waar hij 25 jaar correspondent was, maar soms ook met verbazing of zelfs verbijstering. Westerman is dol op de Amerikaanse ambitie en op positieve energie, en hij is verbaasd over de bereidheid van Amerikanen om risico's te nemen en over hun hardcore koopverslaving. Sinds 1987 telt Amerika meer winkelcentra dan middelbare scholen. Dat jaar bleek uit onderzoek dat Amerikanen shoppen leuker vinden dan seks. Wel 93 procent van de tienermeisjes noemt shoppen als favoriete hobby. En hoe ze dat allemaal betalen? Nou, gewoon níét. Amerikanen leven op de pof. Met hun creditcards staan ze gemiddeld 15.000 dollar rood – en ze betalen zich dus blauw aan creditcardrente. Tien jaar geleden legden de Amerikanen nog 7 procent van hun inkomen opzij, tegenwoordig niets meer. De Amerikaan verdient 40.000 dollar per jaar en spaart niet. De Chinees verdient 1500 dollar per jaar en spaart een kwart. Chinese banken lenen dat spaargeld weer uit aan de VS, aldus Max.

Ook schetst hij hoe de staatsschuld onder Reagan opliep, onder Clinton verdween en onder Bush tot ongekende hoogten steeg.

Moeten wij een voorbeeld nemen aan die avontuurlijke Amerikanen of maar gewoon ons zuinige zelf blijven? Het boek van Westerman is leuk, onderhoudend en informatief, en laat volgens mij vooral zien dat we geen voorbeeld aan Amerika moeten nemen als het om geldzaken gaat.

In alle staten van **Max Westerman, Uitgeverij Nieuw Amsterdam,** ISBN **978 90 468 0290 8**

 *De kredietcrisis (en hoe we er sterker uit kunnen komen)* van Willem Vermeend, oud- staatssecretaris van Financiën en tegenwoordig hoogleraar European Fiscal Economics aan de Universiteit van Maastricht, is een helder boek voor niet-economen. Vermeend begon direct aan het begin van de kredietcrisis te schrijven en bracht het boek uit in december 2008. Hij beschrijft hoe de crisis in Amerika is ontstaan. Dat onder Clinton (1993-2001) het eigenhuisbezit werd bevorderd door hypotheekinstellingen als Freddie Mac en Fannie Mae. Door deze instellingen werd het mogelijk dat meer Amerikanen, ook met een lage kredietwaardigheid, een eigen huis konden kopen. Bush gaf Freddie Mac en Fannie Mae extra overheidsgaranties en dus nog meer ruimte. Daarnaast grepen Bush en de directeur van de Ameri-

kaanse Central Bank, Alan Greenspan, steeds naar twee middelen om de kwakkelende economie te stimuleren: belasting en de rente verlagen. Die middelen jaagden de economie wel aan, voor éven, maar verloren uiteindelijk hun stimulerende kracht. En ze veroorzaakten hoge begrotingstekorten en een torenhoge staatsschuld. Aan het eind van de regeringsperiode van Clinton vertoonde de federale begroting van de VS nog een overschot van 150 miljard dollar. Als Barack Obama aan zijn presidentschap begint, treft hij op de begroting een tekort aan van ongeveer 700 miljard dollar, en een staatsschuld van meer dan 10.000 miljard dollar. Vermeend maakt duidelijk dat de wereld niet alleen geconfronteerd wordt met een inzakkende internationale economie, maar ook met de klimaatcrisis. In het slothoofdstuk presenteert hij een pakket maatregelen dat het kabinet zou kunnen inzetten om de Nederlandse economie uit het slop te halen. Hij pleit voor een 'verbod op doemdenken'.

De kredietcrisis (en hoe we er sterker uit kunnen komen) van Willem Vermeend, Uitgeverij Lebowski, ISBN 978 90 488 0192 3

2. Je eigen begroting en prioriteiten

Het overzicht van inkomsten en uitgaven van bladzijde 19 bevat alleen maar cijfertjes. Om tot een eigen plan rond je geldzaken te komen is echter meer nodig. De vraag is vooral of je tevreden bent over die cijfers. Zou je meer willen overhouden voor dingen die je belangrijk vindt? Wat vind je eigenlijk belangrijk? Maak je bewuste keuzes of doe je maar wat?

Belangrijk is te beseffen dat er niet één bepaald 'ideaal' bestedingspatroon bestaat. Het gaat erom een manier van omgaan met geld te vinden die aansluit op jouw eigen wensen en mogelijkheden. Een manier waarmee je niet in het rood komt, waarmee je kunt sparen (als je dat wilt) en dingen kunt realiseren die je zelf belangrijk vindt. Bekijk het schema op bladzijde 19 nog eens grondig en vul dan de volgende checklist in:

Checklist	nee	twijfel	ja
- Ik weet het verschil tussen vaste lasten en andere kosten.	☐	☐	☐
- Ik betaal eerst de vaste lasten.	☐	☐	☐
- Bepaalde kosten zijn veel hoger dan ik dacht.	☐	☐	☐
- Ik ben tevreden over mijn eigen uitgavepatroon.	☐	☐	☐

	nee	twijfel	ja
- Er zijn posten waar ik graag meer geld aan zou besteden.	☐	☐	☐
- Er zijn posten waar ik graag minder geld aan zou besteden.	☐	☐	☐
- Ik heb een aardig idee van wat ik belangrijk vind, welke posten voor mij altijd voorgaan.	☐	☐	☐
- Als ik eerlijk ben, doe ik maar wat.	☐	☐	☐
- Ik geef aan bepaalde posten (zoals boodschappen) maandelijks ongeveer evenveel uit.	☐	☐	☐
- Ik geef het geld uit zoals het uitkomt.	☐	☐	☐
- Ik hou ervan spontaan te trakteren, en ga dan niet eerst kijken of het wel kan.	☐	☐	☐
- Ik gebruik een vast bedrag per week voor boodschappen.	☐	☐	☐
- Als ik een leuk kledingstuk of gadget zie, móét ik het kopen.	☐	☐	☐
- Als er onverwachte uitgaven zijn, kijk ik eerst hoe mijn bankrekening ervoor staat.	☐	☐	☐
- Ik heb altijd een reserve waarmee ik onverwachte dingen kan betalen.	☐	☐	☐
- Ik zou mijn geldzaken wel beter willen organiseren.	☐	☐	☐
- Ik wil sparen voor onze kinderen.	☐	☐	☐

Het kan zijn dat uit de antwoorden die je hebt gegeven blijkt dat je wel meer geld zou willen hebben voor bepaalde posten. De meeste mensen hebben zo hun dromen en verlangens, maar doen daar vreemd genoeg heel weinig mee. Ze blijven hangen in het idee dat allerlei dingen voor hen toch niet zijn weggelegd.

Het is in elk geval de moeite waard te onderzoeken wat er wél mogelijk is. Daartoe heb je de harde informatie nodig van je inkomsten en uitgaven. Die heb je in het vorige hoofdstuk verzameld. Daarna kun je het best structuur aanbrengen in je uitgaven.

Eerst moeten de vaste lasten betaald worden. Dan de iets minder vaste lasten. Wat overblijft zijn een heleboel kosten waar je zelf voor kiest. Door op bepaalde posten te besparen kun je mogelijk dingen realiseren waarvan je eerst dacht dat ze onhaalbaar waren. Ga daarom aan de slag. Maak eerst onderscheid tussen de verschillende soorten kosten: verdeel je uitgaven in vieren.

Vaste lasten type 1

Deze moeten altijd eerst betaald worden, liefst automatisch:
- huur of hypotheek;
- gas, elektriciteit en water;
- heffingen gemeente en waterschap;
- zorgverzekering;
- alimentatie (te betalen);
- afbetaling lening of schuld.

Vaste lasten type 2

Die moeten daarna betaald worden. Het gaat om verplichtingen die je zelf bent aangegaan, en deze zijn vast zolang je ervoor kiest:
- telefoon, kabel, internet;
- verzekeringen (inboedel, opstal, aansprakelijkheid en begrafenis);
- autokosten (verzekering, wegenbelasting, onderhoud en benzine);
- openbaar vervoer;
- abonnementen;
- clubs.

De derde categorie is die van de **Dagelijkse uitgaven**:
- voedsel;
- roken, drank;
- huisdieren;
- persoonlijke verzorging;
- schoonmaakartikelen;
- hobby's;
- zakgeld;
- diversen.

De vierde categorie is **Sparen of reserveren:**
Je reserveert geld voor dure dingen die je niet in één keer kunt betalen. Bijvoorbeeld een vakantie, meubilair of het vervangen van een duur apparaat.

Bedragen aanpassen?
In elke categorie liggen de mogelijkheden om de bedragen aan te passen anders. Hoe vaster de lasten, hoe moeilijker het is erop te besparen. Bij het tweede type vaste lasten heb je al meer invloed. Je kunt als je dat wilt een voordeliger energieleverancier zoeken, een goedkoper telefoonabonnement regelen, of abonnementen zelfs opzeggen.

Bij de dagelijkse uitgaven heb je veel meer in te brengen; die zijn flink te beïnvloeden. Al jouw acties samen bepalen of en hoeveel je kunt sparen voor leuke grote uitgaven of voor een reserve.

Maar voor je in het wilde weg gaat besparen, kun je beter stilstaan bij je eigen prioriteiten.

Ik wil niet kiezen, ik wil alles!

Je kunt je zielig voelen als je bepaalde keuzes moet maken, maar het helpt je niet. Iedereen moet kiezen; ook rijke mensen kunnen zich niet alles permitteren. Michael Jackson is bezig zijn ranch Neverland te verkopen; zelfs hij kan blijkbaar niet alles hebben. Wie zichzelf vergelijkt met mensen die meer hebben voelt zich altijd rot. Je kunt jezelf ook vergelijken met mensen die het minder goed hebben. Daarvan zijn er véél meer. Kijk voor de grap eens op www.globalrichlist.nl. Daar kun je je jaarinkomen invullen. Als je €10.500 invult (bijstandsniveau) blijk je toch nog bij de rijkste 13 procent van de wereld te horen. En dan blijkt dat 5.237.930.142 mensen minder hebben...

Je eigen prioriteiten

Je moet eerst voor jezelf duidelijk krijgen waar je prioriteiten liggen. De vraag is of je de kostenposten die je kunt beïnvloeden in volgorde van belangrijkheid wilt zetten.

Hieronder zie je een paar prioriteitenlijstjes van mensen die ongeveer evenveel verdienen, maar een totaal ander bestedingspatroon hebben – prioriteiten liggen voor iedereen anders.

Dit is de prioriteitenlijst van een bijna-dertiger:	Dit is de prioriteitenlijst van een leuke oude dame:
1. doorlopend krediet aflossen	1. uitstapjes, reisjes, musea
2. auto	2. openbaar vervoer, taxi's
3. roken	3. uit eten, trakteren van kinderen
4. huisdieren: twee poezen	4. boodschappen: lekker eten
5. boodschappen	5. hulp in de huishouding
6. uitgaan	6. boeken en kunst
7. telefoneren, vast en mobiel	7. tuinieren
8. kleding	8. telefoon
9. meubels/wasmachine vervangen	9. soms een nieuw meubelstuk
10. kleine cadeautjes	10. kleding en schoenen
11. shampoo, kapper en dergelijke	11. verzorging
	12. goede doelen

Dit is de prioriteitenlijst van een single moeder:	Hoe zou je jouw eigen prioriteitenlijst invullen?
1. kleding en schoenen	1. ....
2. verzorging	2. ....
3. kosten voor kind	3. ....
4. boodschappen	4. ....
5. skiën (2 x per jaar)	5. ....
6. inventaris (soms nieuwe meubelen)	6. ....
7. vervoer (brommer, soms autohuur en ov)	7. ....
8. abonnementen	8. ....
9. uitgaan, theater, soms uit eten	9. ....
10. cadeaus, goede doelen	10. ....
11. onderhoud huis	11. ....
12. potten en planten bij het huis	12. ....

En een lijstje van een partner of goede vriendin?

1.	8. ....
2.	9. ....
3.	10. ....
4.	11. ....
5.	12. ....
6.	
7.	

Als je geld wilt overhouden, begin dan te besparen op de posten die de minste prioriteit hebben. Dus op jouw nummer 7 tot en met 12. Bespaar nooit op jouw nummer 1 tot en met 5. Het is je eigen geld en het zijn je eigen keuzes. Zolang je geen schulden hebt, hoef je je tegenover niemand te verantwoorden.

Je eigen maandbegroting

Met behulp van het overzicht van inkomsten en uitgaven op bladzijde 19 en met inzichten in je prioriteitenlijst kun je een kleine begroting van de afgelopen maand maken. Je zet er alleen de inkomsten en uitgaven in die op jou van toepassing zijn.

Geef bij de bedragen van de afgelopen maand aan of je er meer aan zou willen uitgeven of minder. Maak voor de volgende maand zo'n zelfde overzichtje met de gewenste bedragen.

Het kan zijn dat je in februari 600 euro hebt uitgegeven aan boodschappen en dat je op jouw begroting van maart daar 500 euro voor begroot. Je kunt het verschil (100 euro) gebruiken om een roodstand in te lopen, iets te kopen of om te sparen.

Een eenvoudige begroting kan er bijvoorbeeld zo uitzien:

Inkomen ...... Per maand		Uitgaven	
Saldo op ......(datum)	€...........	Hypotheek	€...........
Nettosalaris	€...........	Elektriciteit	€...........
Andere inkomsten	€...........	Gas	€...........
Moet nog		Zorgverzekering	€...........
afgeschreven	€...........	Telefoon / kabel	€...........
Idem (bijvoorbeeld		Verzekeringen	€...........
via creditcards)	€...........	Autokosten	€...........
		Sportschool	€...........
Te besteden	€...........	Kleding	€...........
		Boodschappen	€...........
			€...........
			€...........
		Over	€...........
		Reserve	€...........
		Sparen	€...........

Of zo:

Inkomen ...... Per maand		Uitgaven	
Saldo op ...... (datum)	€...........	Huur inclusief	
Netto-salaris	€...........	verwarming	€...........
Huurtoeslag	€...........	Elektriciteit	€...........
Zorgtoeslag	€...........	Zorgverzekering	€...........
Kindgebonden		Telefoon vast	€...........
budget	€...........	Telefoon mobiel	€...........
Kinderbijslag	€...........	Abonnement/	
Moet nog		vereniging	€...........
afgeschreven	€...........	Kleding	€...........
Idem (bijvoorbeeld		Boodschappen	€...........
via creditcards)	€...........	Verjaardag	€...........
Te besteden	€...........	Over	€...........
		Reserve	€...........
		Sparen	€...........

Elke maand kun je zo'n schemaatje invullen. Je kunt het makkelijk zelf maken op de computer of aantekeningen maken in een schriftje. Noteer eerst je saldo van dat moment en dan wat er nog binnenkomt die maand. Het kan zijn dat je bepaalde inkomsten de ene maand wel hebt en de andere maand niet. Kinderbijslag, bijvoorbeeld, ontvang je alleen in januari, april, juli en oktober. Die post zet je dus alleen in de betreffende maanden in je lijst.

Daarna trek je posten af die je al wel betaald hebt, maar die nog niet afgeschreven zijn. Bijvoorbeeld aankopen die je met je creditcard hebt gedaan. Zo kom je aan het bedrag dat te besteden is. Daarna vul je de uitgaven in die deze maand gegarandeerd komen: huur, elektra.

De rekening van de vaste telefoon komt nog vaak om de maand. Die zet je dus ook om de maand in de begroting. Zelfs de meest eenvoudige begroting is elke maand iets anders. De inkomsten verschillen en de uitgaven verschillen. Een begroting verschilt ook enorm per persoon.

Alles noteren en/of vast weekbedrag

Er zijn mensen die het prettig vinden al hun uitgaven te noteren. Dat is een heel precieze methode. Maar het is niet noodzakelijk de beste manier. Als je eenmaal per jaar of kwartaal zorgt voor een goed overzicht, kun je daaruit afleiden wat er wekelijks overblijft om vrij te besteden. Dan hou je je gewoon aan dat bedrag, bijvoorbeeld voor boodschappen.

Hoeveel dit weekbedrag is, kun je op de volgende manier uitrekenen: je noteert je maandelijkse inkomsten en trekt daar alle maandelijkse vaste lasten, reserveringen, aflossingen en een spaarbedrag van af. Het restant deel je door 4,5 (de ene maand heeft vier weken, de andere vijf).

De uitkomst is het bedrag dat je maximaal per week kunt uitgeven. Je kunt dát bedrag wekelijks opnemen en in je portemonnee doen. Uiteraard kun je ook een lager bedrag pinnen, als je daarmee uitkomt. Deze truc werkt alleen als je ál je dagelijkse uitgaven contant betaalt. Je moet dus niet opeens gaan pinnen in de supermarkt. Zo'n vast bedrag voor de dagelijkse uitgaven geeft je overzicht en duidelijkheid, onder het motto: 'op = op.'

Een weekbedrag vaststellen:

Totale inkomsten per maand	€ ....
Totale vaste lasten per maand	€ ....
Reserveringen/aflossingen	€ ....
Sparen per maand	€ .... -/-
Te besteden per maand	€ .... delen door 4,5
Weekbedrag	€ ....

Lukt het op geen enkele manier zo'n weekbedrag te bepalen, kijk dan op de site van het Nibud bij de persoonlijke budgetwijzer. Daar kun je zien wat anderen in een soortgelijke situatie gemiddeld uitgeven.

Je kunt ook een minimumbedrag per week nemen, bijvoorbeeld als je snel een roodstand wilt inlopen. Neem dan vijftig euro per week voor een alleenstaande, plus tien euro erbij voor elk volgend gezinslid. Dat is een minimumbedrag dat je later, afhankelijk van het resultaat, naar boven kunt bijstellen.

Kies een doel

Het kan enorm stimuleren om een doel te kiezen waarvoor je bespaart. Als je rood staat en/of schulden hebt, is het doel duidelijk: daar eerst uit krabbelen. Als je geld altijd precies opgaat en er nooit iets overblijft voor onverwachte dingen of vakanties, kun je besparen om een buffertje op te bouwen. Je zult ervaren dat het een heerlijk gevoel is als je een dui- zendje of iets dergelijks achter de hand hebt om onverwach- te klappen op te vangen. Het scheelt een flinke hoeveelheid stress. Nog iets verder ligt het stadium van de onvervulde wensen. De droom waarvan je altijd dacht dat hij toch niet te realiseren was. Soms is dat soort wensen helemaal niet zo duur. Misschien wel in een jaar bij elkaar te sparen, of in vijf of tien jaar. Als je zo'n droom kunt bedenken, maak of zoek er dan een plaatje van. Een foto of een tekening van het ding dat je wilt kopen, of het soort leven dat je zou willen leiden. Lijst het in. Hang het op een goed zichtbare plaats. Ervaren consuminderaars weten dat als je de smaak eenmaal te pak- ken hebt, het besparen steeds beter gaat. Hou je droom voor ogen.

Grote gevolgen

Soms heeft het ordenen van je geldzaken en het je verdie- pen in je eigen wensen een verbluffend effect. Het stel uit het begin van dit boek (uit *Geen cent te makken*) dat vooral achterliep met hun administratie, zette, toen de camera's vertrokken waren, de ene stap na de andere. Hun roodstand was in no time weggewerkt. Híj werkte met plezier in de ge- handicaptenzorg. Zij had een kleine, slecht betaalde baan, waarin ze het niet erg naar haar zin had. Bij het bestuderen van hun eigen uitgaven viel op dat ze enorm veel aan kinderopvang betaalden, terwijl ze niet eens gelukkig waren met het pedagogisch klimaat en de kwaliteit van de dure kinderopvang. Om te beginnen zegden ze het vervelende werk en de dure opvang op. Ze hadden nu íéts minder inkomen, maar dat was door het betere overzicht en de gegroeide discipline geen enkel punt. Door de rust en de betere stemming die dat onmiddellijk opleverde, kwam er ruimte voor hun eigenlijke droom: gezamenlijk een dagopvang voor gehandicapten beginnen. Ze maakten een bedrijfsplan, verkochten hun huis, kochten een boerderij even buiten de stad en maakten hun droom waar. (Zie www.impresario.nl/wijlre.)

Boekentip

Onlangs verscheen het boek *Genoeg* van de Brit John Naish. Hij schrijft aanstekelijk en met veel humor over onze westerse oververhitte samenleving, waar iedereen lijkt te moeten streven naar meer informatie, reclame, eten, spullen, werk, keuzes en geluk. Meer, meer, meer en druk, druk, druk blijkt ons niet gelukkig te maken. Integendeel. Mensen verzuipen in de informatie, worden steeds ingenieuzer bespeeld door reclame. Naish beschrijft dat het bedrijfsleven de hersenen van proefpersonen onderzoekt, om te zien welke reclameboodschappen ons effectief verleiden. Te veel eten zorgt voor ongezond overgewicht. We hebben te veel spullen. In Amerika, waar alles tien jaar eerder gebeurt, is het verhuren van opslagruimte een snelgroeiende business. De berg overbodige spullen past niet meer op zolder en moet duur worden opgeslagen. Of weggegooid. De stroom afval (sommige 'vuilnis' nog nieuw in de doos) groeit sterk en belast het milieu. Veel werken heeft zo'n hoog aanzien dat we het steeds meer gaan doen (vooral in Amerika). Er blijft geen tijd of energie over voor huishouden, gezin en opvoeding. Steeds meer mensen raken overwerkt. We hebben zoveel opties, bijvoorbeeld bij het kiezen van een zorgverzekering of internetprovider, dat we vol stress door de bomen het bos niet meer zien. Het enige wat we zeker weten is dat de ooit gemaakte keuze inmiddels achterhaald, te duur en onhandig is.

Volgens Naish is geluk niet 'krijgen wat je wilt', maar 'willen wat je krijgt'. Hij pleit voor tevredenheid.

Genoeg van John Naish, A.W. Bruna Uitgevers,
ISBN 978 90 229 9352 1

3. Achterstanden en schulden

Als je aan mensen vraagt of ze schulden hebben, ontkennen ze dat. Schulden! Dat is toch dat je dakloos bent, zonder tanden rondloopt en wanhopig overal voor hulp moet aankloppen? Nee, het is veel eenvoudiger. Bijna iedereen heeft schulden. We hebben zo'n hekel aan het begrip dat we er andere woorden voor kiezen. Of eigenlijk doet de commercie dat voor ons. Het heet nu 'rood staan' of 'opnamelimiet' of 'creditcardkrediet' of 'doorlopend krediet', of we hebben het over een 'pee-elletje' (persoonlijke lening). Dat voelt niet als een schuld, maar ís het wel.

Checklist achterstanden en schulden	nee	soms	ja
- Ik sta rond de 1000 euro rood op mijn betaalrekening.	☐	☐	☐
- Ik sta tussen de 2000 en 5000 euro rood.	☐	☐	☐
- Ik maak gebruik van een doorlopend krediet.	☐	☐	☐
- Ik heb een persoonlijke lening.	☐	☐	☐
- Ik heb een bedrag openstaan bij een postorderbedrijf.	☐	☐	☐
- Ik heb een bedrag openstaan bij meerdere postorderbedrijven.	☐	☐	☐
- Er staat een flink bedrag te betalen van mijn creditcard.	☐	☐	☐
- Ik ontvang betalingsherinneringen.	☐	☐	☐

	nee	soms	ja
- Ik ontvang aanmaningen.	☐	☐	☐
- Ik ontvang brieven van deurwaarders.	☐	☐	☐
- Ik stel de ene betaling uit om de andere te kunnen doen.	☐	☐	☐
- Ik loop één maand achter met het betalen van de huur.	☐	☐	☐
- Ik loop één maand achter met het betalen van de hypotheek.	☐	☐	☐
- Ik lig wakker van de geldzorgen.	☐	☐	☐

Als je ongeveer zes keer 'ja' hebt ingevuld, lees dit hoofd-stuk dan goed door en kijk op welke trede van het 'schulden-trapje' je staat. Als je geen enkele keer 'ja' hebt ingevuld, kun je dit hoofdstuk overslaan.

Eigen schuld?
Waarschijnlijk heb je niet het idee dat je schulden hebt. Het bestedingspatroon van de brave burger in de jaren vijftig was nog superdegelijk. Je begon met een laag inkomen, dat ge-staag steeg door kleine loonsverhogingen. Je gaf niet meer uit dan je had. Integendeel, een klein deel van het inkomen werd gespaard. Voor slechtere tijden, voor noodgevallen, voor de vakantie, voor de grotere kostenposten.

Ook mijn eigen ouders waren gewend niet meer te beste-den dan ze hadden. Toch namen zij een hypotheek. Mijn ouders kochten na rijp beraad, en leenden daarvoor (zoals wij, kleine potjes met grote oren, opvingen) 30.000 gulden. Een duizelingwekkend bedrag. Bovendien werd je toen ge-acht eigen geld mee te brengen, ongeveer een derde van de hoofdsom. Je kon een beperkt bedrag lenen, gerelateerd aan het inkomen, waarbij het loon van de vrouw (als ze dat al had) niet meetelde.

Dat is allemaal veranderd. Het aandeel eigen geld is gedaald via ongeveer een kwart naar een simpele nul procent. Er werden vóór de kredietcrisis meer hypotheken verstrekt en meer geld per hypotheek. Terwijl een langzaam stijgend inkomen waar je van op aankunt een belachelijke illusie is, in deze tijd van jobhoppen en flexwerken. En er werd (tot voor kort) veel meer consumptief krediet verleend. Het lijkt erop of de bankdirecteuren, de salesmanagers, de accountmensen en de reclamejongens hebben zitten brainstormen: hoe gaan we de mensen aanpraten dat lenen leuk is? Na jaren van advertenties in tv-gidsen en de meest stuitende spotjes op tv lijkt Nederland helemaal om: lenen is leuk. Koop toch die motor, die serre, die keuken, die badkamer! Lenen is veilig, betrouwbaar, goedkoop!

Zijn wij onafhankelijk denkende, zelfbeslissende individuen? Of zijn wij trekpoppen en willen we met vele touwtjes vastzitten aan de bank? Mijn mening is dat áls je achterstanden hebt bij betalen, of een flinke lening hebt lopen, dit niet helemaal je eigen schuld is. Het is je te makkelijk gemaakt. Probleem is dat je daar weinig voor koopt. Je zult de achterstanden zelf moeten inlopen. De bank zal niet eens heel hard zijn best doen om je te helpen, want die leeft van de rente waar jij je blauw aan betaalt.

Het schuldentrapje. In welke fase zit jij?

Tree 1: Je staat af en toe rood, maar houdt ook wel eens geld over. Je vindt dat geld moet rollen.

Tree 2: Je staat tot zo'n duizend euro rood en kunt grote kostenposten (zoals een nieuwe wasmachine of auto) alleen regelen door te lenen of door op afbetaling te kopen.

Tree 3:   Je staat flink rood op je betaalrekening, hebt een doorlopend krediet of persoonlijke lening genomen om een noodzakelijke aankoop te doen en/of betaalt maandelijks aan postorderbedrijven.

Tree 4:   Je kunt niet meer op tijd aan alle verplichtingen voldoen en begint te schuiven met rekeningen. Je krijgt wel eens aanmaningen.

Tree 5:   Je zoekt naar een grote lening om al je achterstanden weg te werken. Áls dat al lukt, betaal je meer rente dan aflossing. Je hebt hierdoor geen enkele ruimte om noodzakelijke dingen te betalen. Je dicht het ene gat met het andere. Je laat soms de post dicht. Niemand weet dit.

Tree 6:   Je stelt het betalen van de energierekening een maand uit, of slaat het betalen van de huur over. Er komen deurwaarders aan de deur. Je probeert overzicht te krijgen, maar dat lukt niet meer. Je bent wanbetaler volgens het BKR (Bureau Krediet Registratie, waar schulden en problemen met afbetalen worden geregistreerd).

Tree 7:   Je krijgt dwangbevelen. Als je een halfjaar geen huur betaalt, zul je uit je huis gezet worden. Als je een halfjaar (soms is dat al bij drie of vier maanden) geen hypotheek hebt betaald, wordt de woning per executie verkocht.

Tree 8:   Je wilt schuldhulpverlening en merkt dat je aan allerlei voorwaarden moet voldoen voordat ze je – misschien – helpen. Ze zeggen dat er fors bezuinigd moet worden, dat de auto of de hond weg moet en dat je geen keus hebt.

Tree 9:   Je gooit je kont tegen de krib en zoekt tegen beter weten in naar 'de lening die alles zal oplossen'. Je slaapt slecht en laat contacten verwateren, omdat je geen geld meer hebt om mensen te onthalen of cadeautjes mee te nemen. Niemand weet wat er speelt.

Tree 10: De problemen zijn in jouw ogen onoplosbaar.

De weg terug

Je kunt schulden voorkomen door ervoor te zorgen dat je op een zo laag mogelijke trede van het schuldentrapje blijft. Veel mensen denken dat het niks uitmaakt als je van treetje 1 naar treetje 2 gaat. Maar bij elke tree die je verder komt is de weg terug moeilijker.

Sta je op tree 1: Blijf daar!

Door iets verstandiger met geld om te gaan, kun je makkelijk uit het rood komen en een fijne reserve opbouwen. Een reserve die ervoor zorgt dat je onverwachte uitgaven zelf kunt opvangen.

Tree 2: Er is nog geen groot probleem, maar je betaalt meer rente dan nodig

Door prioriteiten te stellen en op sommige uitgaven te besparen loop je het rood-staan zó in. Met wat goede wil en doorzetten is dit binnen drie maanden tot een halfjaar gerealiseerd.

Tree 3: Er is een fundamentele verandering nodig

Mensen in een soortgelijke positie lijken elkaar aan te steken met verkeerde adviezen. Ga niet verder de trap op, maar keer om. Tel gewoon eens op hoeveel je rood staat, geleend hebt, uit hebt staan op je creditcards. Hoe sneller je daarmee begint, hoe beter het is. Om zo snel mogelijk van schulden af te komen is het nodig om elke maand een zo groot mogelijk bedrag af te lossen. Dit boek lezen is niet genoeg. Als je schulden hebt, is het belangrijk om je kop niet in het zand te steken. Ga naar www.zelfjeschuldenregelen.nl. Kom niet aan het geld voor bijvoorbeeld de huur. Vraag aan ouders of familie of zij de lening kunnen overnemen. Maak wel goede afspraken met je helpers en hou je daar ook aan.

Tree 4: Schuiven met rekeningen is een alarmsignaal

Dit is de laatste traptrede vanaf waar je nog redelijk makkelijk zelf kunt terugkomen. Het is een cruciale fase.

- Neem contact op met de afzender van aanmaningen. Leg je situatie uit en vraag om een regeling. Bedrijven zijn vaak blij met contact en best bereid tot regelingen.
- Ga praten met de bank. Regel dat je niet méér rood kunt staan dan je nu doet en vertel dat je uit het rood wilt komen.
- Kijk of je een betalingsregeling kunt treffen.
- Ga naar www.zelfjeschuldenregelen.nl.
- Neem iemand in vertrouwen.

Tree 5: Als je denkt dat je problemen kunt oplossen met een nieuwe lening, vergeet het dan maar

De Amerikaanse kredietcrisis is ontstaan doordat banken leningen verstrekten aan mensen die de kosten ervan niet konden betalen. Geldverstrekkers die ermee adverteren dat zij wél lenen aan mensen met een BKR-notering zijn niet bezig met je

Het Bureau Krediet Registratie (BKR) beschikt over een database met daarin alle leningen, hypotheken en gsm-abonnementen die Nederlanders zijn aangegaan. Alle consumenten die gebruikmaken van een krediet zijn bekend bij het BKR. Niet alleen mensen met een betalingsachterstand, maar ook de 94 procent die zonder problemen zijn betalingsverplichtingen nakomt. Als je een lening of hypotheek wilt afsluiten, controleert de betrokken bank bij het BKR of je wel kredietwaardig bent. De beslissing om wel of niet een lening te verstrekken ligt bij de bank en niet bij het BKR. Naast de BKR-informatie wegen andere factoren mee, zoals inkomen, woonlasten, energieschulden en spaargeld. De kredietverstrekker verzamelt alle gegevens en beslist dan of een lening verantwoord is. Bij de grote meerderheid werkt de BKR-informatie die over hen verstrekt kan worden dus in hun voordeel.

Voor wie wil nagaan hoe hij of zij geregistreerd staat bij het BKR, ligt er bij iedere bank in Nederland een consumentenbrochure: *Wat doet BKR voor mij?* Aan deze brochure is een aanvraagformulier gehecht. Als je dit ingevulde formulier aan de bankmedewerker geeft, je legitimeert en €4,50 betaalt, krijg je het overzicht binnen vijf werkdagen thuis gestuurd.

te helpen, maar richten je te gronde. Dit soort aanbiedingen wordt mogelijk binnenkort (of is al) verboden. Bijna alle mensen die uiteindelijk in de schuldsanering terecht zijn gekomen dachten hun probleem op te lossen met een extra lening, waarna ze nog dieper in het moeras zakten. Nog een overeenkomst tussen deze mensen is hun isolement. Niemand praat natuurlijk graag over uit de hand lopende problemen, en de verleiding van de allesoplossende lening is dan groot.

Kijk naar de adviezen bij punt 4.

Tree 6: Stop zo snel mogelijk met je ontwijkgedrag

Je kunt kijken of er nog een weg terug is met behulp van de tips onder punt 4 en 5. Als je door de bomen het bos niet meer ziet, moet je hulp zoeken; hoe eerder, hoe beter. Vijf jaar geleden hadden de mensen die bij een schuldhulpverlener aanklopten een gemiddelde schuld van 12.000 tot 15.000 euro. Nu is het gemiddelde hoger en is de hoogste schuld al 30.000 tot 80.000 euro.

Ook als je niets doet, lopen schulden op, door boetes en rente. In de schuldhulpverlening ga je een lastige tijd tegemoet, maar er zal ook een last van je af vallen. Verwacht trouwens geen wonderen van de hulpverleners. Een situatie die in vijf jaar scheef is gegroeid, is niet in vijf dagen te fiksen. Mogelijk zelfs niet in vijf maanden. Het kost tijd om de knoop te ontwarren. Werk zo goed mogelijk mee.

- Zoek een hulpverlener in de buurt via www.nvvk.eu of www.nooitmeerrood.nl.
- Praat met de bank, perk je kredietmogelijkheid in, probeer regelingen te treffen.
- Praat met je werkgever; werkgevers verstrekken soms een krediet in combinatie met (schuld)hulpverlening van het bedrijfsmaatschappelijk werk.
- Praat met je familie.

Tree 7: Alle schuldhulpverleners kennen het verschijnsel: een paniektelefoontje van iemand die klant wil worden, omdat hij morgen uit zijn huis gezet wordt

Als het gaat om een huurwoning, is het waarschijnlijk te laat om een ontruiming te voorkomen. Probeer alle tips beschreven onder punt 5 en 6. Als het om een koopwoning gaat en executieverkoop dreigt, valt er nu snel van alles te proberen:

- Neem je best opgeleide vriend of familielid in vertrouwen en vraag om hulp bij de rondgang langs instanties. Een andere persoon heeft meer afstand en blijft rustiger.
- Kijk of je financiële steun kunt krijgen bij de gemeente, bijvoorbeeld een tijdelijke woonkostentoeslag.
- Praat met je werkgever. Misschien kan een voorschot direct naar de bank worden overgemaakt.
- Als je een hypotheek met Nationale Hypotheekgarantie hebt, kun je mogelijk een aanvullende lening afsluiten om executieverkoop te voorkomen.
- Misschien kan een niet al te grote lening bij je hypotheek worden ondergebracht. Maar waarschijnlijk is het beter om goedkoper te gaan wonen.

Let wel op: hoe wanhopig je ook bent, gedraag je correct, reageer je niet af op stugge beambten en onvriendelijke medewerkers. Het werkt ook averechts. Hoe wanhopiger of bozer jij je gedraagt, hoe afstandelijker de meeste beambten zullen reageren.

Tree 8: Voor jou is het een hele overwinning dat je naar de schuldhulpverlening stapt

Daar zullen ze snel denken: waarom kom je in vredesnaam nu pas? Je hebt niet veel keus meer. Als je wilt dat je schuld gesaneerd wordt, zul je je aan hun regels moeten houden.

Tree 9 en 10: Dat betekent drie jaar op een houtje bijten

Daarna kun je met een schone lei beginnen. Geen enkel probleem is onoplosbaar, al lijkt het soms anders. De wet beschermt mensen met schulden.

Actie

Kijk sowieso in de rest van dit boek naar mogelijkheden om je inkomsten te verhogen, je koopgedrag aan te passen en je uitgaven te verlagen.

- Maak met behulp van het vorige en het volgende hoofdstuk een eigen begroting.
- Maak een overzicht van al je achterstanden en schulden.
- Bepaal hoeveel je maandelijks zou kunnen aflossen (aflosruimte).
- Stuur een voorstel naar alle schuldeisers; zie voorbeeldbrieven op www.zelfjeschuldenregelen.nl.
- Lukt het niet? Kijk op www.schulden.nl voor bevoegde instanties in jouw gemeente of ga naar www.nooit-meerrood.nl.

Laat je helpen!

Ooit had ik zelf een heel laag inkomen. Ik merkte dat mensen graag een handje hielpen. Ze boden spullen aan, kleertjes voor mijn kind, speelgoed enzovoort. Ik pakte het altijd graag aan, bedankte hartelijk en gaf dingen die ik niet direct kon gebruiken weer door.

Soms vinden mensen met schulden het vreselijk om een beetje hulp te krijgen. Ze voelen zich te trots, of schamen zich. Dat is jammer en het is onzin. Als je een paar duizend euro schuld hebt, zijn de problemen met wat hulp nog prima op te lossen.

Waarom steeds alles alleen willen doen? Je ontneemt daarmee anderen ook de kans iets aardigs te doen. Als de situatie omgekeerd was, zou je hetzelfde graag doen voor een ander. De angst is dat hulpverleners de macht overnemen, je dwingen een auto weg te doen en dergelijke, terwijl juist met een kleine schuld dat soort drastische maatregelen nog niet nodig is. Maar als je doormoddert in je eentje, verdubbelt de schuld in een jaar tijd, ook door het effect van rente op rente, boete op boete. Bij zo'n grote schuld kunnen ze niets anders meer doen dan alles drastisch aanpakken.

Boekentip

Jong en schuldig van Maarten Steendam. 'Schuldige', zoals hij zichzelf noemt, is een jongen van 27 jaar die in 2004 'plotseling' 18.000 euro schuld bleek te hebben. Hij besluit van de ene dag op de andere dat hij eruit wil komen en begint op

zijn weblog www.schuldige.nl verslag te doen van zijn tocht uit het rood. Hij schrijft altijd leuk, informatief, actueel, to the point en met veel grapjes. Geen ander boek laat zien hoe makkelijk je in de schulden raakt en hoe moeilijk het is eruit te komen – maar dat het dus wél kan. Met het voorschot van de uitgever betaalde hij het laatste restje schuld af en kon hij beginnen met sparen, en nog geruime tijd deed hij op zijn weblog verslag van zijn leven. Inmiddels is hij weer terug in de schulden, maar op de goede manier: hij heeft pas een appartement gekocht. Na zijn ontmoeting met de ware liefde heeft hij afscheid genomen van zijn blog. Maar de website bestaat nog wel; je kunt daar ook het boek bestellen.
Jong en schuldig van Maarten Steendam, Uitgeverij Van Gennep, ISBN 978 90 551 5752 5

4. Geld en relatie

Er wordt binnen relaties meer ruziegemaakt over geld dan over het huishouden of de kinderen. Drie van de vijf stellen maken ruzie over geld; de meeste conflicten gaan over aankopen van de vrouw. Mannen en vrouwen denken anders over geld, en echtgenoten hebben de nodige (geld)geheimen voor elkaar. Je opvoeding en de sfeer in het ouderlijk huis, met name met betrekking tot geldzaken, blijken een verregaande en blijvende invloed te hebben. De meeste mensen zijn zich daarvan niet bewust.

Checklist geld en relatie

	nee	twijfel	ja
- Bij ons thuis waren ze vroeger heel zuinig.	☐	☐	☐
- Mijn ouders maakten ruzie over geld.	☐	☐	☐
- Ik heb van mijn ouders veel geleerd over geld.	☐	☐	☐
- Ik kreeg als kind alles wat ik nodig had.	☐	☐	☐
- Ik sta heel anders tegenover geldzaken dan mijn ouders.	☐	☐	☐
- In mijn schoonfamilie gaan ze heel anders met geld om.	☐	☐	☐
- Ik kan beter met geld omgaan dan mijn partner.	☐	☐	☐
- Mijn partner weet meer van geldzaken dan ik.	☐	☐	☐
- Ik regel de administratie in mijn eentje.	☐	☐	☐

	nee	twijfel	ja
- Mijn partner regelt de geldzaken.	☐	☐	☐
- Ik koop vaak iets duurs zonder te overleggen.	☐	☐	☐
- Mijn partner koopt vaak iets duurs zonder te overleggen.	☐	☐	☐
- Wij overleggen regelmatig over geldzaken.	☐	☐	☐
- Wij hebben wel eens ruzie over geldzaken.	☐	☐	☐
- Ik heb een spaarrekening waar mijn partner niets van weet.	☐	☐	☐
- Wij hebben de geldzaken eerlijk geregeld.	☐	☐	☐
- Ik verzwijg bepaalde aankopen.	☐	☐	☐
- Mijn partner is niet altijd eerlijk geweest over geld.	☐	☐	☐
- Mijn partner en ik begrijpen elkaars standpunt over geldzaken best goed.	☐	☐	☐
- Wij betalen in verhouding tot ons inkomen de verschillende lasten.	☐	☐	☐
- Wij hebben nog eigen bankrekeningen.	☐	☐	☐
- Bij ons gaat alles op de grote hoop.	☐	☐	☐

Het is de bedoeling dat je door deze vragen te beantwoorden een beeld krijgt van de rol die geld speelt in je relatie. Als je er eens goed over nadenkt, kan blijken welke invloed je eigen achtergrond en kindertijd hebben op je kijk op geldzaken, en hoe dat zit bij je partner. Tussen alle partners speelt die verschillende achtergrond een rol, en bij hetero's komt daar het man-vrouwverschil nog eens bij. Volgende punt is dat als er onder gewone omstandigheden al regelmatig ruzie wordt gemaakt over geld, de spanning oploopt wanneer inkomsten minder zeker worden in tijden van economische malaise.

Uit Nibud-onderzoek blijkt dat partners zich nauwelijks

bewust zijn van hun eigen gevoelens en standpunten. Die worden pas duidelijk als de een iets doet wat de ander niet bevalt. In dit hoofdstuk vind je tips om de geldkwesties tussen partners soepeler te laten verlopen. Ruzies over geld zijn in een deel van de gevallen dé oorzaak van een scheiding. Dat wil iedereen voorkomen. Want scheiden is niet alleen akelig, het is ook duur. Wat is je eigen achtergrond?

Als journalist heb ik jarenlang mensen geïnterviewd over hun 'huishoudboekje', ofwel hun aanpak van geldzaken. Een van mijn eerste vragen was altijd: 'Hoe ging het thuis, vroeger?' De situatie vroeger blijkt een grote invloed te hebben. Vooral als er thuis armoede was, of als er ruzie was tussen de ouders. Er wordt zeer verschillend op de ouderlijke omgang met geld teruggekeken. De een roemt de spaarzaamheid van moeder en zegt levenslang plezier te hebben van de aangeleerde discipline en spaarzaamheid. De ander lijkt na een 'karige' jeugd bijna demonstratief met geld te gaan smijten. Diegenen willen het beter doen dan de ouders, maar vooral ánders. Als de spaarzaamheid gepaard ging met humor, creativiteit en warmte kijkt men er met plezier en trots op terug. Het vermogen om 'van niets iets te maken' wordt vaak geprezen. Als de ouders gefrustreerd waren omdat ze niet konden geven wat ze wel graag hadden willen geven, maakte dat ook diepe indruk. Mensen blijven dan vaak hun hele leven bang voor armoede. Óf ze komen juist sterk uit zo'n opvoeding en weten dat ze zich altijd zullen kunnen redden.

Om te weten waar conflicten over geld vandaan komen, is het zinnig na te gaan hoe verschillend jij en je partner tegen geldzaken aankijken. Het is belangrijk je van die verschillende standpunten bewust te zijn en er begrip voor te hebben.

Joke de Walle deed onderzoek naar de manier waarop tientallen mannen en vrouwen in Nederland en in de Verenigde Staten met geld omgaan, en doet daarvan verslag in haar boek *Gedoe om geld*. Volgens haar is een van de belangrijkste lessen uit de vele gesprekken met echtparen dat zowel te weinig geld als heel veel geld problemen kan veroorzaken.

Juist omdat geldproblemen tot heftige ruzies kunnen leiden, is het goed als stellen met elkaar praten over geldzaken. 'Vaak zijn problemen taaier en dieper geworteld dan ze hopen en verwachten. Partners onderschatten vaak hoe diep dat gaat. Daarom: vraag hulp, praat met elkaar en probeer ook te relativeren. Probeer te zien wat geld voor de ander betekent. Geld verhit de gemoederen.'

Uit Nibud-onderzoek blijkt dat de onderwerpen bij ruzies over geld eigenlijk heel diepgaand zijn. Waar moet het geld aan besteed worden? Wie is uiteindelijk de baas over de centen? Wat vaak voorkomt, is dat de een de ander verwijt het geld over de balk te smijten. De spaarder is boos op de *spender*. Of omgekeerd: de spaarder krijgt het verwijt dat hij of zij krenterig is. Daarnaast is er ruzie over de verdeling van de kosten: wie brengt er hoeveel in? Dit soort ruzies betekent een forse knauw voor de relatie. Eén op de vijf stellen die gaan scheiden, doet dat (mede) vanwege conflicten over geld. Bij 60 procent is 'niet goed met elkaar kunnen praten' de reden.

Waarom toch die ruzies? Mannen hebben meer over voor

geld dan vrouwen, vinden dat veel geld hen zelfstandig maakt en vinden merkartikelen belangrijker dan vrouwen. Mannen gebruiken hun aankopen dus om hun status op te vijzelen. En ze vinden het géén probleem wat langer of harder te werken om die stoerdoenerij te kunnen betalen. Vrouwen kopen vaker kleding en de onvermijdelijke schoenen, en anticonceptie en cadeaus. Verder doen vrouwen vaker een aankoop zonder erbij na te denken of ze die echt nodig hebben. Dat lijkt alles bij elkaar een recept voor problemen. Hij vindt status belangrijk, staat stevig in zijn schoenen en bekritiseert háár. Zij doet haar best, onder andere door er leuk uit te willen zien (toch een goede investering in de relatie) en met meestal door haar georganiseerde en gekochte cadeautjes. Maar het vaakst is er ruzie omdat zij ondoordachte aankopen zou hebben gedaan.

Mannen hebben blijkbaar het idee dat zij sowieso beter zijn met geld. Dat is echter een vooroordeel. Mannen overschatten zichzelf wel vaker, ook op andere terreinen. De slechtste rendementen in beleggingszaken worden bijvoorbeeld behaald door alleenwonende mannen. Vrouwen zijn onzekerder, spelen meer op safe, en met goed resultaat. Tussen 2000 en 2006 haalden beleggende vrouwen 7,2 procent meer rendement, zoals is aangetoond door de universiteit van Maastricht. Vrouwen maken zich ook meer zorgen over geldzaken. Bijna de helft van de Nederlanders ligt er wel eens wakker van.

Alles op één hoop
Het is niet verwonderlijk, al die misverstanden en ruzies. Partners weten van zichzelf nauwelijks hoe ze over geld denken, laat staan van elkaar. Maar liefst de helft van de stel-

len die gingen samenwonen of trouwen, deed dat zonder afspraken te maken over geldzaken. De andere helft maakte voornamelijk afspraken over een gezamenlijke betaalrekening. Hoe langer mensen samenwonen, hoe minder vaak het voorkomt dat ze er een eigen rekening op na houden. De meesten gooien uiteindelijk al het geld op één hoop.

Maar de financiële administratie wordt bij 77 procent van de stellen door één van beide partners gedaan. Degene die het geld regelt heeft veel meer overzicht, en ook macht. Het is beter om het regelen van de geldzaken af te wisselen; het ene jaar de een, het andere jaar de ander. Wat ook opvalt is dat de meeste stellen met een gezamenlijke rekening allebei hetzelfde bedrag op die rekening storten. Terwijl het zelden voorkomt dat ze allebei evenveel verdienen. Degene die het minst verdient houdt zo dus minder over dan de ander. Dat werkt ontevredenheid en ruzie in de hand.

Samenwonen

Als je net samenwoont, is het handig om de eerste twee maanden bij te houden hoeveel je uitgeeft aan de boodschappen en alle andere posten. Dan weet je welk bedrag nodig is voor het samenleven. Daarna kun je het best de geldzaken bespreken. Hoe kun je uitgaven samen verdelen? Een methode is om alle inkomsten in één gezamenlijke pot te stoppen en hieruit alles te betalen. Dat is ook de beste manier om alle overzicht in één klap kwijt te zijn. Beter is het ieder een eigen rekening te houden én een gezamenlijke rekening te openen. Je kunt bespreken wie wat op de gezamenlijke rekening stort en welke kosten daarvan worden betaald. Kosten die echt puur voor jezelf zijn kun je dan ook van je eigen rekening betalen, bijvoorbeeld kleding, clubs, eventueel je eigen auto.

Een andere methode is dat ieder eenzelfde bedrag van de eigen inkomsten op de eigen rekening overhoudt en de rest op de gezamenlijke rekening stort. Zo hebben beide partners evenveel 'zakgeld' en zijn de gezamenlijke uitgaven verdeeld naar verhouding van het inkomen.

Als je gaat samenwonen, doe je er goed aan om afspraken op papier te zetten. Je kunt de afspraken vastleggen in een samenlevingscontract. Onderwerpen waarover je het eens moet worden, zijn bijvoorbeeld:
- de verdeling van de kosten van de huishouding;
- de verdeling van de bezittingen als je uit elkaar gaat.

Trouwen en vertrouwen
In alle boeken over geldzaken staat dat je nooit in gemeenschap van goederen moet trouwen. Als je niets afspreekt, trouw je echter automatisch in gemeenschap van goederen. Dat betekent dat alles wat je bezit en in de toekomst verdient of erft van jullie beiden is. Dat geldt ook voor schulden die je meebrengt of nog zult maken. Zelfs de schulden die je partner tijdens het huwelijk stiekem maakt. Zeventig procent van alle stellen trouwt in gemeenschap van goederen. En een aanzienlijk deel van hen dat gaat scheiden, krijgt daar spijt van. Mijn advies is om je goed in deze zaken te verdiepen, en áls je in gemeenschap van goederen trouwt, het dan bewust te doen.

Duur getrouwd
In een van de afleveringen van *Geen cent te makken* stond een stel met twee kleine kindjes en één grote schuld centraal. De schuld bedroeg zo'n 30.000 euro. De ellende was

begonnen met de lening die ze afsloten voor hun trouwpar-
tij. Ze waren het er destijds over eens dat hun bruiloft groots
gevierd moest worden. In het huis hingen grote ingelijste
foto's van het bruidspaar in een koets met paarden ervoor.
Net als de meeste mensen met schulden hadden zij de oplossing gezocht in steeds weer een nieuwe lening. De inkomsten waren gehalveerd doordat de vrouw na de komst
van het tweede kind was gestopt met werken. Ze konden inmiddels de huur niet meer betalen. Elk gesprek liep uit op
ruzie over de geldzorgen. Ik moest toen al denken aan een
uitspraak van dr. Phil: 'Je kunt beter investeren in je huwelijk dan in je trouwdag.' Dit stel kon de last niet dragen en is
uiteindelijk gescheiden.

Investeer in de liefde

Romantische verrassingen hoeven helemaal niet duur te
zijn. Het gaat juist om het idee. Doe valentijnachtige dingen
niet alleen op 14 februari, maar ook gewoon tussendoor:

- Vul een glazen weckfles of een mooi transparant zakje
  met hartsnoepjes (die kosten ongeveer 60 cent per 200
  gram).
- Bak een hartvormige taart. Of hartvormige koekjes die je
  uit zandtaartdeeg kunt steken.
- Schrijf nog eens een lieve brief of een gedicht met gete-
  kende hartjes erbij.
- Plan een strandwandeling en kerf met een stok een boodschap of een mooi hart in het natte zand.
- Installeer een verrassingsbureaublad of -screensaver op
  de computer van je geliefde. Voor echte valentijnsbu-
  reaubladen, zie valentijn.startkabel.nl. Of gebruik een
  mooie eigen foto.

- Geef een mooi gemaakte en ingepakte bon: 'Goed voor een fijne massage.'
- Schrijf een lieve boodschap met lippenstift op de badkamerspiegel of de tegels van de douche.
- Teken met stoepkrijt een hart of liefdesverklaring op de stoep.
- Plan af en toe een verrassingsuitstapje: etentje, film, dansavondje, concert, theateravond.
- Als je valentijnfrutsels (kussens in hartvorm, kaarten, doosjes, kaarsen et cetera) leuk vindt: ná Valentijnsdag worden ze enorm afgeprijsd. Je kunt een voorraadje aanleggen om er je hardwerkende geliefde af en toe mee te verrassen.
- Je kunt ook zonder speciale aanleiding thuis een dinertje bedenken. Maak het gezellig in huis met wat voor den dag gehaalde kerstverlichting. Kook een paar aardappels kort in de schil en snijd ze in schijven. Steek hartjes uit de schijven en frituur de hartjes én de reststukjes. Komkommer kun je ook in hartvorm serveren.

Praktisch
- Praat over je eigen achtergrond, houding en gevoelens over geld. Probeer erachter te komen wat écht belangrijk is voor jezelf en voor de ander. Liefst voordat je je definitief gebonden hebt. Een goede toets is of je de ander kunt begrijpen, of je vertederd kunt zijn door zijn/haar omgang met geld, of je er soms echt om moet lachen. En of dat omgekeerd ook het geval is.
- Vermijd geheimen over geld. Geheimen zijn nooit goed voor een relatie.
- Maak een plan voor de nabije en verdere toekomst. Wat

zijn doelen (om voor te sparen)? Streef je naar een groter huis, een verbouwing, wil je sparen voor de studie van je kinderen?

- Verdeel de inkomsten en betalingen eerlijk, in elk geval zodanig dat je er beiden tevreden over bent. Je kunt ook de posten verdelen. Dat de een gas en licht betaalt en de ander de kinderopvang, bijvoorbeeld.
- Als je een financieel onderwerp wilt bespreken en je vreest ruzie, kies dan een rustig moment. Stel het zeker niet aan de orde als er toch al een gespannen sfeer is. Bespreek desnoods eerst hoe je lastige dingen kunt bespreken zonder ruzie te krijgen.
- Kijk voor meer tips en tests op de site www.nibud.nl/geld-afspraken.

Boekentip

 Voor de emotionele kant van geld en relaties: *Gedoe om geld* van Joke de Walle, Uitgeverij Eburon, ISBN 978 90 597 2258 3

5. Vaste lasten verlagen

Checklist vaste lasten	nee	twijfel	ja
- Ik weet zeker dat ik niet te veel huur betaal.	☐	☐	☐
- Ik weet zeker dat ik een optimale hypotheek heb.	☐	☐	☐
- Ik weet zeker dat ik een voordelige energieleverancier heb gekozen.	☐	☐	☐
- Ik betaal niet te veel aan gemeentelijke heffingen.	☐	☐	☐
- Ik betaal niet te veel aan mijn zorgverzekering.	☐	☐	☐
- Ik betaal niet te veel rente op mijn creditcarduitgaven.	☐	☐	☐
- Ik betaal niet te veel aan mijn vaste telefoon.	☐	☐	☐
- Ik betaal niet te veel aan mijn mobiele telefoon.	☐	☐	☐
- Ik betaal niet te veel aan kabel en internet.	☐	☐	☐
- Ik ben niet oververzekerd.	☐	☐	☐
- Mijn autoverzekering is niet onnodig duur.	☐	☐	☐
- De bladen/kranten waar ik op geabonneerd ben, léés ik ook.	☐	☐	☐
- Ik benut mijn sportschoolabonnement.	☐	☐	☐
- Ik ken de kortingsmogelijkheden van het ov.	☐	☐	☐

Hoe staat het met je vaste lasten, abonnementen en overeenkomsten? Betaal je ze automatisch? Kijk je nog wel eens naar de hoogte van de bedragen? Je kunt de posten eens langslopen en kijken of je je zaken goed hebt geregeld. Als blijkt dat er wel enig voordeel is te halen, maar niet al te veel, kun je ook besluiten bij je huidige leveranciers te blijven. Je wordt door de commercie regelmatig besprongen met de vraag of je niet wilt overstappen, naar groene energie, grijze stroom, digitale tv, een andere provider, een beter milieu – en nog goedkoper ook. Je kunt knettergek worden van al die keuzes. Het geeft je het gevoel dat jij de enige bent die waarschijnlijk al jaren bij de verkeerde club te veel zit te betalen. De tip is om alle posten een keer langs te lopen, op een tijdstip dat het jou uitkomt. Dus niet op een drukke avond onder het eten je tijdens zo'n telefoontje een keus laten opdringen. Alles langslopen en je eigen keus maken: dit hou ik voorlopig zo en dat ga ik aanpassen. Spreek ook een termijn af met jezelf waarna je er nog eens naar kijkt. Bijvoorbeeld over een jaar. In de tussentijd kun je dan alle aanbieders vriendelijk afkappen: je hebt je er al in verdiept, hebt het geregeld naar je eigen inzicht en laat het dan een jaar rusten.

Betaal de juiste huur

Er zijn regels voor de hoogte van de huur van kamers en woningen. Een rechtvaardige huurprijs is te berekenen met
behulp van een puntensysteem. De verhuurder mag maximaal één keer per jaar de huur verhogen; dit is meestal rond
1 juli. Wil je bezwaar aantekenen tegen de hoogte van je
huur, dan kun je bij de huurcommissie aankloppen. Dit
moet binnen drie maanden na het ondertekenen van het
huurcontract. Ook kun je zelf een voorstel tot huurverla-
ging bij de verhuurder doen. (Zie meer over het puntensysteem op www.vrom.nl.)

Let ook op de volgende punten:

- Sommige verhuurders vragen 'sleutelgeld' of 'overna-
me', terwijl je niets overneemt. Sleutelgeld is verboden.
Een borgsom – meestal gelijk aan een maand huur –
mag wel.
- Pas op met onderhuur. Je hebt alleen recht op huurbe-
scherming tegenover degene van wie je rechtstreeks
huurt. Als huurder mag je alleen onderverhuren met toe-
stemming van de huiseigenaar.

Handige websites:
- www.huurders.info
- www.woonbond.nl
- www.postbus51.nl
- www.energielabel.nl
- www.energielabelhulp.nl
- www.vrom.nl

Hypotheekkosten

Banken hebben een kapitaalinjectie van de overheid gekregen. Ze staan daardoor wat steviger, maar ze lenen nog steeds niet makkelijk geld uit. Hierdoor komen minder mensen in aanmerking voor een hypotheek en kan een bestaande lening op dit moment minder makkelijk worden verhoogd.

Op bestaande langlopende hypotheken en de hypotheekrente heeft de kredietcrisis eigenlijk weinig effect. Sommige aanbieders hebben de rente eind 2008 zelfs nog verlaagd.

Beleggingshypotheekkosten

De afgelopen jaren is duidelijk geworden dat veel beleggingshypotheken woekerpolissen zijn. Verborgen kosten komen nu pas aan het licht en door de malaise op de beurs kan het rendement van de beleggingen veel lager uitpakken dan gehoopt. Bij de meeste mensen loopt de polis voorlopig nog door, en is er dus nog tijd genoeg waarin het resultaat kan verbeteren.

Loopt je beleggingshypotheek echter binnenkort af, dan blijf je mogelijk met een onverwacht grote schuld zitten. Ga niet opnieuw de fout in door advies in te winnen over het oversluiten of 'verbeteren' van een woekerpolis. Er zijn tussenpersonen die aanbieden 'de waarde van je polis te berekenen'. Hun alternatief (vaak een nieuwe langlopende polis) hoeft absoluut geen verbetering te zijn.

Probeer zelf uit te zoeken of je je polis kunt verbeteren via www.woekerpolisclaim.nl.

De waarde van het eigen huis

De afgelopen achttien jaar zijn de huizenprijzen in Nederland onafgebroken gestegen. Op dit moment (januari 2009) stabiliseren de prijzen en staan woningen veel langer te koop. Veel mensen kijken de kat uit de boom en zijn minder geneigd een ander huis aan te schaffen voordat hun eigen huis verkocht is. Niemand wil te lang met dubbele lasten komen te zitten. Vanwege de strengere kredietvoorwaarden en de minder grote omloopsnelheid zou het kunnen dat huizen de komende jaren iets in waarde zullen dalen. Maar vast niet zo hard als in Amerika en Groot-Brittannië: daar kelderde de huizenprijs in 2008 met respectievelijk 16 en 14,5 procent.

Hypotheek oversluiten?

Nu sinds de kredietcrisis de hypotheekrente licht is gestegen en de banken minder toeschietelijk zijn, ligt het niet voor de hand de hypotheek over te sluiten. Hou zelf in de gaten wanneer je rentevaste periode is afgelopen.

Bij een leven- of spaarhypotheek is overstappen zelden gunstig. Of het voordelig is, kun je uitzoeken op www.huishypotheek.nl of www.overgeld.nl. Daar bereken je de boete wegens het vroegtijdig oversluiten, de kosten voor taxatie, notaris en afsluitprovisie, en of deze kosten opwegen tegen het voordeel van de nieuwe hypotheek. Soms worden ze meegefinancierd, en teken je voor weer een langere looptijd.

Je hoeft natuurlijk geen boeterente te betalen als de rentevaste periode is afgelopen. Handige websites zijn: www.eigenhuis.nl, www.wijzeringeldzaken.nl, www.geldwaardering.nl.

Energieleverancier

Word lid van de Consumentenbond. Het is een kleine investering met een grote opbrengst. Veel mensen informeren zich wel als ze een grote aankoop gaan doen. Je kunt op zo'n moment ook de *Consumentengids* inkijken in de bibliotheek. Maar in deze oververhitte keuzemaatschappij moet je je wapenen. Belt er weer zo'n telefonische verkoper die je wil laten overstappen van energiemaatschappij: je kunt de (hogere) prijs jarenlang vastzetten. Als je dat doet, zul je zien dat prijzen ineens gaan dalen. En als je het niet doet, gaan ze ineens stijgen. Je kunt je overbelaste gemoed beschermen door dit eenmalig goed uit te zoeken.

Als lid van de Consumentenbond kun je op internet altijd de meest actuele tests raadplegen. Als het bijvoorbeeld om energie gaat: voer je postcode in, of je een enkele of dubbele meter hebt, of je groene of grijze stroom wilt, en je kunt de uitslag meteen aflezen: de voordeligste leverancier in jouw gemeente. Je kunt ook prijzen vergelijken op www.gaslicht.com/nl.

Energie besparen

Milieu Centraal heeft een overzichtelijke site waar je een bespaartest kunt doen. Door een vragenlijst in te vullen, krijg je te zien hoeveel bespaarmogelijkheden er voor je zijn. Een greep uit hun tips:

- Zet de kamerthermostaat een uur voor vertrek of slapengaan op 13 tot 15 graden. Het huis koelt dan niet te veel af en kan 's ochtends zonder veel extra energie weer opwarmen. Dit kan 35 euro per jaar besparen. In huizen die na 1994 zijn gebouwd is het efficiënter het huis 's nachts op dezelfde temperatuur te houden dan om het 's ochtends

weer warm te stoken. Deze huizen zijn zeer goed geïso-
leerd en hebben vaak vloer- of wandverwarming.

- Zet de thermostaat overdag één graad lager en je bespaart zo'n 7 procent op je energiegebruik voor verwar-
ming. Dat is 90 m³ gas of 51 euro bij een gemiddeld huishouden, een gasprijs van 57 cent en een elektriciteitsprijs
van 20 cent (prijspeil 2006).

- Doe in de winter 's avonds de gordijnen dicht; daarmee
hou je de warmte binnen.

- Als je een week van huis gaat, kan de waakvlam van gei-
ser en cv-ketel uit. Ook 's zomers kan de cv-waakvlam uit.
Dit bespaart circa 90 m³ gas of 51 euro.

- Tochtstrips, dichten van naden en kieren en dakisolatie
zijn eenmalige (niet al te hoge) investeringen die al snel
een besparing van 270 euro per jaar opleveren. Open-
slaande tuindeuren die in de winter toch niet opengaan
kun je isoleren door een opgerolde deken op de grond te
leggen langs de plint.

- Op www.onlibri.nl is het boek *Energiebesparend leven
in 100 stappen* gratis te downloaden. Goede sites over
dit onderwerp zijn www.milieucentraal.nl, www.ener-
gielabelhulp.nl, www.energiebesparingsverkenner.nl en
www.voetafdruk.nl.

Heffingen gemeente en waterschap

Ieder huishouden betaalt plaatselijke belastingen en heffingen. Bijvoorbeeld onroerende-zaakbelasting, rioolrechten,
reinigings- of afvalstoffenheffing, hondenbelasting en wa-
terschapsheffing. Vaak betaal je afhankelijk van het aantal
personen in je huishouden. Controleer daarom altijd goed of
het juiste aantal personen is vermeld op de aanslag. Mensen

met een laag inkomen kunnen (gedeeltelijke) kwijtschel-ding van gemeentelijke en waterschapsheffingen krijgen. De regels zijn per gemeente verschillend. De kwijtschelding geldt bijvoorbeeld niet altijd voor alle heffingen. Informeer bij de gemeente welke voorwaarden er gelden.

Voldoe je aan de voorwaarden, vraag dan kwijtschelding aan bij de gemeente en bij het waterschap. Dat moet meest-al binnen een bepaalde termijn worden gedaan. Soms is er samenwerking tussen de gemeente en het waterschap. Als gemeentelijke heffingen worden kwijtgescholden, krijg je geen rekening meer voor de waterschapsheffingen. Meest-al hoef je de kwijtschelding van heffingen maar één keer aan te vragen. Als er niets aan je situatie verandert krijg je het volgende jaar automatisch kwijtschelding. Meestal zit er een aanvraagformulier voor kwijtschelding bij de reke-ning van de heffingen. Op de website www.waterschap-pen.nl zie je onder welk waterschap je valt.

Internet, kabel en bellen

Je kunt op veel manieren besparen op je telefoonrekening. Welke provider, welk toestel en welk soort contract (prepaid of abonnement) voor jou voordelig zijn, hangt bijna hele-maal af van je bel- en sms-gedrag.

Je kunt eerst nog eens nagaan of je tevreden bent over je eigen belgedrag. Vind je zelf dat je te lang en te vaak belt? Er zijn telefoons waar je een alarm kunt instellen, dat afgaat na een bepaalde tijd bellen. Vervolgens kun je nagaan of je een gunstig, bij jou passend abonnement hebt.

Er zijn verschillende abonnementmogelijkheden, bij-voorbeeld 's avonds en in het weekend 'gratis' bellen voor een vast bedrag. Of altijd bellen voor een vast bedrag. Als je wilt uitzoeken wat in jouw geval de voordeligste methode is, ga dan naar www.bellen.com. Je kunt daar vragen beantwoorden over je belgedrag. Natuurlijk bespaar je al door korter en minder vaak te bellen.

Op www.bellen.com kun je doorklikken naar 'mobiel bellen'. Als je daar een vragenlijst over je belgedrag invult, krijg je direct advies. Als je geen gratis toestel nodig hebt kun je (tot 50 procent) korting op de abonnementskosten krijgen. Met Skype bel je zonder extra kosten via de computer. Op http://weblog.r-win.com/losse–html/skypegids-1.html staat een uitgebreide handleiding. Andere sites zijn www.studentmobiel.nl, www.gsmweb.nl, www.gsmexpress.nl, www.telecomvergelijker.nl, www.televergelijk.nl, www.vergelijk.nl. Op www.bellen.com kun je ook doorklikken naar 'internet en bellen'.

Er bestaan allerlei varianten om internet, telefoon en (kabel-)tv te integreren. Sommige aanbieders combineren kabel-tv en internet, eventueel met bellen. Ook is er 'internet en bellen', tv via internet, digitenne, mobiel internet en veel meer. Punt is dat je niet alleen prijzen vergelijkt, maar ook de diensten, die erg van elkaar verschillen. Ga voor jezelf heel goed na wat je hebt en wat je wilt. Laat je in elk geval geen overstap aanpraten door een telefonisch verkoper die net onder etenstijd belt.

Bellen naar 0900-nummers blijft duur. Vaak gaat achter deze nummers een gewoon telefoonnummer schuil. Op www.vraagalex.nl staat een lijst met alternatieven voor dure 0900-nummers.

Verzekeringen

We kunnen ziek worden, bestolen worden, ongelukken krijgen, van de trap vallen, kostbaarheden kwijtraken en wat al niet meer. Het voelt een stuk veiliger als je goed verzekerd bent. Veel mensen betalen een flinke prijs voor dat gevoel. Terwijl als de nood aan de man komt verzekeraars zoveel beperkende voorwaarden in de kleine lettertjes kunnen hebben staan dat je weinig aan ze hebt. Zoek de volgende dingen goed uit:

- welke verzekeringen je hebt lopen;
- of je niet dubbel verzekerd bent en dekkingen niet overlappen;
- of je een doorlopende reisverzekering hebt; dat is vaak goedkoper dan een kortlopende verzekering;
- of een annuleringsverzekering wel echt nodig is; vaak zijn ze alleen nuttig bij een dure reis;
- of kleine risico's niet oververzekerd zijn, terwijl financiële rampen, zoals de situatie na overlijden of bij arbeidsongeschiktheid, soms totaal onverzekerd blijven.

Verzeker kleine risico's en losse artikelen (zoals bril, contactlenzen en computer) niet. Je hebt vaak garantie op dergelijke spullen; bewaar bonnen en garantiebewijzen dus goed. Richt een eigen schadefonds op, en spaar voor dit soort risico's.

Wel noodzakelijk zijn een inboedel- en aansprakelijkheidsverzekering, zorgverzekering, wa-verzekering (voor autobezitters) en een opstalverzekering (voor huiseigenaren).

De zorgverzekering bestaat uit een basispakket en een aanvullende verzekering. Je kunt kiezen tussen een naturapolis of een restitutieverzekering, een hoog of laag eigen risico, en of je een aanvullende verzekering wilt. Het voordeligst is een restitutiepolis, alleen de basisverzekering en een hoog eigen risico. Als je jong en gezond bent, is dat een goede keus. Ook op dit terrein kun je op de site van de Consumentenbond als lid al je wensen invullen, waarna je te zien krijgt wat voor jou de beste keus is.

Op www.onlibri.nl is het boek *Alles over verzekeringen* gratis te downloaden. Zie ook www.independer.nl, www.verzekeringssite.nl en www.vergelijk.nl.

Abonnementen

Abonnementen op tijdschriften lopen vaak onnodig lang door. Dat merk je wanneer tijdschriften nog in het plastic zitten als de volgende editie alweer op de mat ligt. Je kunt inventariseren welke abonnementen je graag wilt houden. Ook een methode is álles op te zeggen en kijken wat je mist. Je kunt je dan natuurlijk zonder probleem opnieuw abonneren; soms met welkomstgeschenk erbij.

Opzeggen gaat makkelijk via de site www.abonnementenopzeggen.nl. Je kunt daar opzegbrieven kant-en-klaar downloaden, na je eigen gegevens te hebben ingevuld. Het adres waar het heen moet staat in de aanhef. Dus invullen, printen, ondertekenen en versturen. Deze service is gratis.

Boekentips

Een deel van de tips (laat apparaten niet stand-by staan, gebruik spaarlampen, lever batterijen in) is wel bekend. In het boek komen energie besparen bij wassen, verlichten en verwarmen aan de orde. Verder gaat het over schoonmaakmiddelen (die juist vervuilend zijn), milieuvriendelijk tuinieren en huisdieren verzorgen, autorijden en vliegen, koken, eten en drinken, kleding, beauty, papier, hout en milieuvriendelijk sparen of beleggen. Elk hoofdstuk geeft algemene informatie, en een opsomming van weetjes onder het kopje 'Wist je dat?'. Regelmatig blijkt: nee, dat wist je niet; bijvoorbeeld dat het winterse strooizout zo slecht is voor het milieu en dat op wegen waar niet gestrooid is minder ongelukken gebeuren omdat men voorzichtiger rijdt. Elk hoofdstuk eindigt met 'En dit levert het op', met een opsomming van de concrete resultaten en besparingen.

50 eenvoudige dingen die je kunt doen om de planeet te redden en daarbij geld te besparen van Andreas Schlumberger, Uitgeverij Van Gennep, ISBN 978 90 551 5732 7

De kredietcrisis en het kelderende consumentenvertrouwen leiden tot analyses van economen, journalisten, zakenlui en bestuurders. Meestal roepen zij de consument op vooral te blijven *spenden* om de economie uit het slop te helpen. Maar niet alle economen denken zo. De Brit Layard (hoogleraar economie en oud-topadviseur van Tony Blair) kwam in 2005 met het boek *Happiness*. Hij stelt aan de kaak dat de economie draait om ons aller inkomen te laten toenemen: het bruto nationaal product (BNP). Ooit stond de toename van het inkomen gelijk aan toename van de welvaart. Voor de allerarmsten geldt dit nog steeds. Maar voor het Westen allang niet meer. Layard pleit ervoor beleidsmaatregelen niet te toetsen op hun gevolgen voor het BNP, maar op het effect op ons geluk. Regeringen zouden volgens hem moeten streven naar de toename van ons bruto nationaal geluk.

De econoom Layard eindigt zijn boek met een oproep om '[...] elke kans te grijpen de ander een plezier te doen en verdriet te verjagen'. Het streven naar groei veroorzaakt een groeiende kloof tussen arm en rijk, stress, ongeluk, en vernietigt het milieu. We kunnen de kredietcrisis aangrijpen om de ooit zinvolle plicht te groeien op z'n minst ter discussie te stellen. Zijn we op aarde om de economie te laten groeien? Of is de economie er voor ons?

***Waarom zijn we niet gelukkig?* van Richard Layard, Uitgeverij Atlas, ISBN 978 90 450 1504 0**

6. Inkomen omhoog, belasting omlaag

Het kan zijn dat je bepaalde posten op je eigen begroting wilt verlagen om wat meer budget te hebben. Maar het kan nooit kwaad nog eens goed te kijken naar je inkomen. Zit dat op het juiste niveau? Hoor je er een periodiek bij te krijgen? Als je op een laag tot modaal inkomen zit, kan het zijn dat je in aanmerking komt voor verschillende regelingen die het inkomen aanvullen. Er zijn zóveel regelingen waar je heel misschien recht op hebt, dat is ongelooflijk. Bijna niemand kent alle *ins* en *outs*. En heb je er ooit aan gedacht spullen die je niet gebruikt te verkopen?

Checklist inkomen en belasting	nee	twijfel	ja
- Ik kijk mijn loonstroken (of andere overzichten van inkomsten) als ze arriveren even na.	☐	☐	☐
- Ik controleer of ik redelijk verdien gezien mijn opleiding en prestaties.	☐	☐	☐
- Ik ga, als het moet, een gesprek daarover aan.	☐	☐	☐
- Ik weet in zo'n geval bij wie ik moet zijn.	☐	☐	☐
- Ik weet hoe het zit met huurtoeslag en zorgtoeslag.	☐	☐	☐
- Ik weet hoe het zit met bijzondere bijstand.	☐	☐	☐
- Ik weet hoe het zit met langdurigheidstoeslag.	☐	☐	☐
- Ik weet of ik kans heb op belastingteruggave.	☐	☐	☐

	nee	twijfel	ja
- Ik doe belastingaangifte om geld terug te krijgen.	☐	☐	☐
- Ik weet welke kosten ik kan aftrekken voor de belasting.	☐	☐	☐
- Ik laat de belastingaangifte door een deskundige doen.	☐	☐	☐
- Ik weet dat het soms gunstig is belastingaangiften te 'middelen'.	☐	☐	☐
- Ik krijg voldoende vakantiegeld.	☐	☐	☐
- Ik weet wanneer ik recht heb op extra verlofdagen.	☐	☐	☐
- Ik verkoop wel eens boeken of andere spullen.	☐	☐	☐

Voor mensen met kinderen

	nee	twijfel	ja
- Ik heb recht op en ontvang kinderbijslag.	☐	☐	☐
- Ik heb recht op en ontvang kindgebonden budget.	☐	☐	☐
- Ik weet hoe het zit met toeslag voor kinderopvang.	☐	☐	☐
- Ik weet hoe het zit met tegemoetkoming schoolkosten.	☐	☐	☐
- Ik weet hoe het zit met gratis schoolboeken.	☐	☐	☐

Het juiste loon

Verdien je genoeg? Er zijn websites waar je kunt zien wat anderen in ongeveer dezelfde functie verdienen. Zie www.zibb.nl/salariswijzer en www.intermediair.nl/salaris-kompas. Wil je om loonsverhoging vragen, dan moet je eerst goede argumenten verzamelen. Je prestaties zijn het belangrijkste argument. Wat heeft het bedrijf aan jou gehad? Kom met zo concreet mogelijke voorbeelden. Wel is het van belang om het juiste moment te kiezen. Dat het economisch nu minder gaat, hoeft echter geen reden te zijn om te wachten. Uit een enquête van het tijdschrift *Intermediair* bleek dat 62 procent van de hoogopgeleide werknemers tijdens een recessie niet om een salarisverhoging durfde te vragen. Maar van de 38 procent die dat wel durfde, kreeg twee derde er wel iets bij.

Het beste moment is wanneer je takenpakket wordt uitgebreid, je functie iets verandert, of als je net een redelijk opvallend succes hebt behaald. Het is ook cruciaal dat je naar de juiste persoon gaat. Stel, je hebt je goed voorbereid, je legt je argumenten op tafel en je krijgt te horen dat je gesprekspartner geen beslissingsbevoegdheid heeft. Je hebt dan een boel energie verspild. Zit je uiteindelijk met goede argumenten bij de juiste persoon, dan begint het pas. Geen enkel bedrijf zal onmiddellijk en zonder tegensputteren akkoord gaan. 'Dit is meer iets voor later', kun je te horen krijgen. 'Ik kan het niet maken tegenover die en die', 'je zit al aan je max binnen jouw functie', en: 'Ik moet eerst met die en die overleggen.'

Bedenk van tevoren zelf wat je chef zou kunnen tegenwerpen, en bereid goede reacties daarop voor. Je functie kan een andere naam krijgen, bijvoorbeeld. Als een verhoging wordt uitgesteld, spreek dan een termijn af (een halfjaar, een jaar) waarop je verder praat. Laat niet doorschemeren dat je overweegt op te stappen als je je zin niet krijgt. Bevestig juist je band met het bedrijf en zeg dat je er graag werkt en wilt blijven. De psycholoog J.J.R. van Minden schreef er een boek over: *Alles over salarisonderhandelingen* (Uitgeverij Business Contact, ISBN 978 90 254 6200 0).

Belastingteruggave

Mensen lopen vaak met een grote boog om de belastingdienst heen en vrezen de blauwe enveloppen. Velen weten niet dat je geld kunt terugkrijgen van de fiscus, óók als je een laag inkomen of een uitkering hebt. Dat kan door aangifte te doen. De aangifteformulieren zijn te downloaden via www.belastingdienst.nl of aan te vragen via de gratis Belasting Telefoon (0800-0543). Bij het invullen van de formulieren is allerlei hulp beschikbaar. Je kunt natuurlijk een boekhouder inschakelen; dat kost ongeveer 75 euro voor de meest eenvoudige aangifte. Je kunt je ook laten helpen door de Belastingdienst zelf; die hulp is gratis. Ben je lid van een vakbond, dan kun je je laten helpen door de ledenservice.

Er zijn ook buurthuizen waar vrijwilligers helpen met belastingaangiften. Zij vinden het leuk om als een soort Robin Hood geld waar hun klanten recht op hebben bij de Belastingdienst weg te slepen. Je kunt aan zo'n vrijwilliger misschien eerst vragen een proefberekening te maken, om te zien of je mogelijk in aanmerking komt.

Als blijkt dat je inderdaad zeer waarschijnlijk recht hebt op een teruggave, kun je ook met terugwerkende kracht aangifte doen over de afgelopen vijf jaar. Zelf heb ik van nabij meegemaakt dat iemand met de laagst mogelijke uitkering recht had op teruggave van zo'n driehonderd euro. Daarna werd teruggave over de voorgaande vijf jaar gevraagd en dat leverde bij elkaar nog eens meer dan duizend euro op. Het is wel zo dat als je eenmaal aangifte gedaan hebt, de Belastingdienst ervan uitgaat dat je het elk jaar weer doet. Je kunt niet zomaar een jaartje overslaan. Doe je het niet, dan krijg je een 'uitnodiging' om aangifte te doen.

Ga je niet op die uitnodiging in, dan volgt er een minder aardige brief: nu snel aangifte doen, anders krijg je duizend euro boete. Laat je echter niet bang maken. Zorg voor een vaste structuur, een vaste hulp bij de aangifte. Die geeft je ook een lijstje van papieren die je mee moet nemen: bankafschriften, jaaropgaven, verzekeringspapieren enzovoort.

Middelen

Wie sterk wisselende inkomsten heeft – bijvoorbeeld als freelancer of als startende ondernemer – betaalt het ene jaar weinig of helemaal geen belasting, en in het andere jaar heel veel. Om dat te compenseren kun je de Belastingdienst vragen om achteraf je belastingaanslag te baseren op je *gemiddelde* inkomen over een periode van drie jaar. Dit heet 'middelen'. De inkomstenbelasting in box 1 is progressief: bij hogere inkomsten betaal je een hoger percentage belasting.

Door de middeling kan het zo zijn dat iemand uiteindelijk minder belasting hoeft te betalen dan wanneer voor elk jaar apart belasting zou worden betaald. Op www.bereken-het.nl kun je een proefberekening maken. Middeling is bijvoorbeeld aantrekkelijk als iemand een ontslaguitkering heeft gekregen, eenmalige hoge aftrekposten heeft of sterk wisselende ondernemingswinsten. Middeling moet schriftelijk aangevraagd worden bij de Belastingdienst, binnen 36 maanden na de laatste aanslag inkomstenbelasting die meegenomen wordt bij de middeling.

Vakantiegeld en vakantiedagen

Het vakantiegeld is meestal 8 procent van het brutoloon. Uitzendkrachten konden voorheen ook kiezen voor een verhoging van 8 procent op hun loon dat elke maand werd uitbetaald. Maar of dit nog steeds mag, is onduidelijk in verband met Europese wetgeving. Jongeren die maar een paar uurtjes per week werken of alleen in de vakantie, krijgen het vakantiegeld lang niet altijd uitbetaald. Vraag bij je werkgever na hoe het zit.

Vakantiedagen zijn geld waard. Als je stopt bij een werkgever, kunnen niet-opgenomen vakantiedagen (in overleg) alsnog opgenomen worden binnen de opzegtermijn; anders moeten de vakantiedagen na de opzegtermijn worden uitbetaald. Sommige cao's staan het toe om vakantiedagen bij te kopen of 'terug' te verkopen aan de werkgever. Je bent wel verplicht om minimaal twintig vakantiedagen per jaar over te houden. Je hoeft niet altijd vakantiedagen op te nemen; in speciale gevallen heb je recht op betaald verlof. Het gaat dan om:

- zwangerschaps- en bevallingsverlof;
- kraamverlof;
- adoptieverlof;
- kortdurend zorgverlof (10-daags zorgverlof);
- calamiteitenverlof.

Langdurend zorgverlof en ouderschapsverlof zijn onbetaald. Hiervoor kun je sparen via de levensloopregeling. Kijk voor meer informatie op www.postbus51.nl bij 'Werk en inkomen' en dan bij 'Verlofregelingen'.

Werkloosheid
Als het goed is, blijft je inkomen de eerste tijd nog op peil. Daarna gaat het dalen. Het is zaak je uitgaven dan onmiddellijk aan te passen. Vaak is niet het wat lagere inkomen een probleem, maar de vertraagde reacties daarop. Veel mensen ontkennen de situatie en blijven stug volgens hun vaste gewoonten geld uitgeven. Dit kan snel problemen veroorzaken. Je kunt een periode van werkloosheid heel goed gebruiken voor enige bezinning. Je hebt ineens ook veel meer tijd. Lang geleden (tijdens een vorige economische recessie, halverwege de jaren tachtig) stond mijn werkgever

in de gezondheidszorg op het punt een aantal banen weg te bezuinigen. Wie vertrok, kon zich op kosten van het bedrijf laten bij- of omscholen. Nieuwe kennis is nooit weg, en ik begon enthousiast aan een studie. Na mijn ontslag werd ik aansluitend weer ingehuurd als oproepkracht. Niet eens vervelend, want nu kon ik 'nee' zeggen in te drukke tijden, in plaats van te moeten bedelen om vrije dagen. Het maakte de stap naar mijn freelance schrijfwerk klein.

Een periode van financiële onzekerheid kan dus ook kansen bieden. Je kunt nadenken over wat je nu echt wilt, en je loopbaan eventueel een andere draai geven. Als je eenmaal weet wat je wilt, kun je gaan netwerken om het te bereiken.

Laat geld waar je recht op hebt niet liggen

Sinds drie jaar bestaat de site www.rechtopgeld.nl. Je krijgt daar, na het beantwoorden van een tiental simpele vragen, in één seconde een lijstje te zien met toeslagen, vergoedingen, aftrekposten en andere aanvullingen op het inkomen waar je mogelijk recht op hebt. Je kunt meteen doorklikken naar de instanties waar je een aanvraag kunt indienen. Je krijgt, afhankelijk van je woonplaats, tips over lokale voordeeltjes, zoals een kortingspas.

Wist je dat van de huishoudens die in voorgaande jaren recht hadden op huurtoeslag, 27 procent dit recht niet te gelde maakte? Van een tegemoetkoming in de schoolkosten werd door 37 procent van de rechthebbenden geen gebruikgemaakt. Bij de regelingen voor huishoudens met de laagste inkomens maakte 45 procent geen gebruik van de kwijtschelding van lokale heffingen, vroeg 68 procent geen aanvullende bijstand aan (bij een laag loon of pensioen) en liet 54 procent de langdurigheidstoeslag onbenut.

Bij www. rechtopgeld.nl krijg je bovendien informatie over tegemoetkomingen in geval van consumentenkwesties, treinvertraging en vliegreisannuleringen. Want ook dan heb je vaak recht op geld. Verder kun je je abonneren op een nieuwsbrief. Je krijgt dan een mailtje als er iets verandert aan de regelingen waar je volgens het door jou opgegeven profiel mee te maken hebt.

De overheid heeft sinds enige tijd ook een dergelijke site: www.berekenuwrecht.nl. Maar hier tref je alleen de landelijke regelingen. Voor lokale regelingen moet je doorklikken naar de deelnemende gemeenten. Je kunt uit slechts 28 woonplaatsen kiezen.

Toeslagen

Op de website www.toeslagen.nl kun je alle informatie vinden. Daar is te zien of je recht hebt op bepaalde toeslagen en hoeveel het ongeveer zou zijn. Je kunt dus proefberekeningen maken voor de hoogte van kinderopvang-, huur- of zorgtoeslag en het kindgebonden budget.

Je moet dan zo veel mogelijk gegevens bij de hand hebben. Voor het aanvragen heb je onder andere jaaropgaven en je burgerservicenummer (voorheen sofinummer) nodig, en DigiD.

Wie liever een papieren formulier invult, kan dit aanvragen bij de gratis BelastingTelefoon (0800-0543).

DigiD

Heb je nog geen DigiD? Je kunt eigenlijk niet meer zonder. De DigiD is je digitale 'paspoort', waarmee je kunt inloggen op alle sites van de overheid. Als je hem nog niet hebt of kwijt bent, vraag hem dan (opnieuw) aan op www.digid.nl.

Kies liefst voor aanvullende sms-identificatie. Als je dan inlogt, bijvoorbeeld bij de Belastingdienst, stuurt die een sms met een code naar je mobiel, waarmee je verder kunt inloggen. Veel sites van de overheid kun je alleen nog binnenkomen mét sms-identificatie.

Laag inkomen

Mensen met een laag inkomen komen bijna altijd in aanmerking voor zorgtoeslag. Dat geldt ook voor jongeren die nog bij hun ouders wonen en studenten, vanaf het moment dat ze achttien jaar worden. Let op: bijzondere bijstand is bedoeld voor noodzakelijke hoge kosten die niet worden vergoed door een andere instantie. Je hebt er mogelijk recht op als je in de bijstand zit, maar ook als je weinig inkomen hebt en geen reserve. Hetzelfde geldt voor de langdurigheidstoeslag. Halverwege 2008 zijn de regels voor de langdurigheidstoeslag veranderd. Gemeenten krijgen meer vrijheid om de toeslag ook toe te kennen aan inwoners met een minimuminkomen uit werk. Kijk op www.minszw.nl voor meer informatie.

Verkopen op internet

Je hebt geen idee hoeveel je kunt bijverdienen door spullen die je niet meer wilt houden te verkopen via internet. Het enige wat je nodig hebt is een camera (tegenwoordig zijn de camera's in telefoons goed genoeg) en wat handigheid in het aantrekkelijk aanbieden van je koopwaar.

Hoe je dat aanpakt is te lezen in het gratis boekje *Zo verkoop je succesvol op internet*, van Laura van den Brink, via www.onlibri.nl, rubriek 'Hobby en vrije tijd'. Of kijk of je het boekje *Geld verdienen op Marktplaats en eBay* van Jeroen Bottema kunt lenen bij de bibliotheek. Dit boekje geeft allerlei tips om je verkoopresultaten te verbeteren. Als je moeite hebt een goede prijs te bepalen voor je artikel, kijk dan op www.andermaal.com. Die site is gebaseerd op het idee dat artikelen met een goede prijs snel worden verkocht.

Boeken verkopen

Ook leuk, makkelijk en lucratief: boeken tweedehands te koop aanbieden via www.bol.com. Je maakt een verkoopaccount en typt het ISBN in, waarna alle gegevens van het boek verschijnen. Het is echt makkelijk en klantvriendelijk. Je bepaalt de vraagprijs en krijgt een e-mail als er een koper is. Je kunt dan een pakbon downloaden en het boek naar de koper sturen.

Www.bol.com rekent 1 euro en 10 procent van de verkoopprijs als bemiddelingskosten aan verkoper én koper. Voor de verkoper komt daar de porto bij. Daar staat tegenover dat www.bol.com de verkoper gegarandeerd binnen veertien dagen betaalt. Je kunt zo je boekenkasten uitmesten. Vooral vrij nieuwe boeken lopen goed. De prijzen van goede vrij nieuwe tweedehands boeken zijn enorm gestegen. Een boek dat nieuw 18 euro kost doet tweedehands wel 15 euro. Je kunt zien of het boek dat jij aanbiedt ook al door anderen tweedehands wordt aangeboden. Van sommige titels staan er al tien te koop. Je kunt dan een gemiddelde prijs kiezen voor je eigen aanbod, en geduld hebben. Of vijftig cent onder de laagste vraagprijs gaan zitten; dan verkoop je jouw exemplaar binnen een week. Want vreemd genoeg: naar boeken waar veel aanbod van is, is ook veel vraag. Voor de meer zeldzame boeken, waarvan jij de enige aanbieder bent, is het afwachten of er snel een koper komt opdagen. Je kunt een plank in je kast inrichten met de boeken die je wilt verkopen.

Verkopen op Koninginnedag

Minder efficiënt, maar wel veel leuker is het om spullen te verkopen op onze dag van nationale trots en saamhorigheid. Een mooie aanleiding om je huis op te ruimen en te screenen op bruikbare artikelen die je kunt verpatsen. Zoek op tijd verdere benodigdheden bij elkaar. Een paar grote doeken, oude gordijnen of iets dergelijks, of anders een groot plastic (uiteraard oranje) zeil, om je koopwaar op uit te stallen. Een grote zak plastic tasjes en een flinke hoeveelheid kleingeld als service voor je klanten.

Als je een zeer populaire standplaats wilt, zul je er vroeg bij moeten zijn. Of je kiest een wat minder populaire plek, waar je om zes of zeven uur 's ochtends nog gewoon je winkel kunt inrichten. Kijk ook vast wat je hebt aan oranje kleding, Unoxmutsen, rood-wit-blauwschmink en dergelijke. Het komt zowel het feestgevoel als de handel ten goede als je jezelf feestelijk uitdost. Wie niet kan kiezen tussen verkopen of kopen: in Utrecht begint de vrijmarkt al op 29 april om zeven uur 's avonds. Je kunt daar koopjes scoren en op 30 april verkopen.

Kamer verhuren

Een kamer verhuren om de eigen kas wat te spekken is ook een mogelijkheid. Kijk op www.vrom.nl waarop je moet letten, en wat je rechten en plichten zijn. De inkomsten uit kamerverhuur voor particulieren zijn tot een vastgesteld maximumbedrag vrij van inkomstenbelasting. Voor de hoogte van dit bedrag zie www.belastingdienst.nl.

Boekentip

Netwerken werkt van Rob van Eeden,
Uitgeverij het Spectrum,
ISBN 978 90 274 6578 8

7. Groot geld en (koop)gedrag

Hoe komen we tot het besluit iets te kopen? Je zou denken dat je iets koopt als je het nodig hebt. Dan komt meteen de vraag naar boven: wat is nodig? En wie bepaalt dat?

In de praktijk kopen we altijd meer dan we van plan zijn. We hebben het idee dat geld moet rollen, dat dure dingen de beste kwaliteit hebben, dat letten op een goede prijs-kwaliteitverhouding te veel tijd kost. Ook hebben we het idee dat het beste nog niet goed genoeg is, dat wij die topkwaliteit gewoon verdienen. Of nodig hebben.

Het resultaat is dat veel mensen meer uitgeven dan past bij hun budget – dat dus meer mensen rood staan, geldzorgen hebben en op krediet gaan kopen. Het begin van elke kredietcrisis (mondiaal, nationaal of persoonlijk) is: meer besteden dan mogelijk is.

Veel mensen denken dat ze toch echt zélf beslissen wat ze kopen, en dat reclame geen doorslaggevende betekenis heeft. Maar is dat zo?

Checklist geld en gedrag

	nee	twijfel	ja
- Overzicht is niet nodig, geld moet rollen.	☐	☐	☐
- Nadenken over een aankoop kost tijd, en tijd is geld.	☐	☐	☐
- Sparen en genieten gaan niet samen.	☐	☐	☐
- Ik hou niet van tweedehands.	☐	☐	☐
- Reclame brengt mij soms op het idee dat ik iets inderdaad wil hebben.	☐	☐	☐
- Die telefonisch verkopers halen mij wel eens over.	☐	☐	☐
- Goedkoop is duurkoop.	☐	☐	☐
- Besparen kost ontzettend veel tijd.	☐	☐	☐
- Besparen gaat ten koste van de leuke dingen.	☐	☐	☐
- Prijzen vergelijken levert niet veel op.	☐	☐	☐
- Ik wil graag goede merkkleding.	☐	☐	☐
- Als ik iets nodig heb, koop ik het gewoon.	☐	☐	☐
- Dure wijn is nu eenmaal ook lekkerder.	☐	☐	☐
- Ik wil artikelen die ik weinig gebruik toch bezitten.	☐	☐	☐
- Onderhandelen is een beetje gênant.	☐	☐	☐
- Als iets stuk is, koop ik het liefst nieuw.	☐	☐	☐
- Ik hou er niet van dingen te lenen.	☐	☐	☐
- Ik koop om de paar jaar een nieuwe auto.	☐	☐	☐
- Als ik een artikel zoek, en een ander heeft het nog staan, ga ik er echt niet om vragen.	☐	☐	☐

Als je meer dan zes keer 'ja' hebt ingevuld, dan ben je een fijne consument, echt een zegen voor de commercie. Áls er bepaalde posten staan op je eigen begroting die je wel omlaag zou willen brengen, is het zinnig je eigen denkbeelden eens te onderzoeken. Dat kun je doen door dit hoofdstuk te lezen, waarin een aantal vooroordelen over omgaan met geld wordt onderuitgehaald. Je kunt anders gaan denken en anders gaan kopen. Of je dat kunt, hangt af van de hardnekkigheid van je eigen vooroordelen, van je bereidheid andere denkwijzen te overwegen, en ander (koop)gedrag uit te proberen. Als je daar niet voor openstaat, kun je dit hoofdstuk overslaan. Dat scheelt tijd, en tijd is ook geld. Toch? Of niet?

De apenval

Wanneer er een nieuw product op de markt komt, denk ik zelf vaak: leuk geprobeerd, maar dat gaat vast niemand kopen. Ik ben tevreden met de bestaande versie, wil geen goedwerkende dingen afdanken, nieuwe producten moeten doorgronden en vastzitten aan een duurder systeem (zoals Senseo). Ook denk ik elke keer dat iedereen het met me eens zal zijn. Tot mijn stomme verbazing zit ik daar steevast volkomen naast. Alle nieuwe technische snufjes veroveren in rap tempo de harten van de consument.

De aanschaf van een videorecorder werd hier in huis jaren en jaren uitgesteld. Dat zou maar leiden tot meer tv-kijken. Toen ik eens terugkeerde van een meerdaags congres stonden man en zonen mij echter samenzweerderig op te wachten. De video was gekocht en geïnstalleerd, en zelfs de jongste kon er probleemloos mee omgaan. In Nederland begon de dvd-speler toen net op te komen. En nu we daar ook voor gezwicht zijn, moet je weer een Blu-ray-speler. Mijn ergernis over het steeds weer nieuwe dingen moeten kopen vond ik scherp verwoord in het boek *De infantiele consument* van Benjamin Barber (Uitgeverij Ambo/Anthos, ISBN 978 90 263 2069 9).

De politicoloog Benjamin Barber ageert daarin hevig tegen de macht van de markt. Volgens hem laten marketeers

consumenten geloven dat er vraag is naar door hen bedach-
te onzinnige producten, en dat wij als mens er pas bij horen
als we die onzinproducten in ons bezit hebben. Hij zou willen dat producenten hun energie steken in het oplossen van
de grote problemen van de wereld: armoede, honger, milieu, opwarming van de aarde. Volgens hem willen veel
mensen best meewerken aan duurzaamheid.

Is het eigenlijk niet ontzettend vreemd dat wij, bijna una-
niem, ons die commercie laten aanleunen? Hebben we ooit
in ons bed liggen huilen dat we niet meer tegen koffiezetten
met een filter kunnen? Maar we zijn wél massaal overge-
stapt op de Senseo, de Nespresso of de puC: dure apparaten
waar tot in lengte van dagen die dure pads in moeten, waardoor ons bakje troost in een paar jaar tijd vier keer duurder
is geworden. Sommige innovatieve producten zijn echt
handig, maar vaker voldeed de voorganger net zo goed.

Ook bezorgen al die mogelijkheden ons keuzestress. De
producenten kunnen van alles bedenken en op de markt
gooien, maar als wij de reclames niet zouden geloven, het
product niet zouden begeren en kopen, dan zou die produ-
cent géén macht hebben. Dan zouden we tevreden kunnen
zijn met kleine gelukjes, eenvoudig lekker eten, in ons fijne
land dat de meeste mensen toch voor geen ander zouden
willen ruilen. Als we niet zo vastzaten aan de touwtjes van
reclame en marketing, zouden we een eenvoudige, zuinige
auto kunnen kiezen. Schijt aan wat de buren ervan denken!
Dan zouden we vrij zijn. Waarom lukt dat niet? Daar zegt
Benjamin Barber ook iets over. Hij verwijst naar de 'Indiase
apenval'. Dat is een houten doos met een rond gat, waar een
apenpootje net doorheen kan. Het lokaas is een noot die in
de doos zit. De aap gaat met zijn poot in de doos en grijpt de

begeerde noot. De 'hand' met noot erin kan echter niet meer door het gat: de aap is gevangen. Zolang hij die noot vasthoudt tenminste. Als hij de noot loslaat, kan zijn hand uit de doos en is hij vrij. In onze apenval zitten een iPod, TomTom, de Senseo en wat de commercie er wekelijks bij bedenkt. Laat het los en je bent vrij.

Reclame

We worden dagelijks besprongen door 3500 reclame-uitingen: één in elke vijftien seconden van de tijd dat we wakker zijn. Jaarlijks geven bedrijven wereldwijd 270 miljard euro uit aan reclame. Het zal inmiddels meer zijn, want dit cijfer is een paar jaar oud. In tien jaar tijd is het aantal reclamespotjes meer dan verdubbeld en het aantal televisiekanalen vertwintigvoudigd. Er worden elke dag 10 miljoen spammails verzonden. We worden gebeld door verkopers, sinds kort ook op de mobiel. De grootste creatieve en kunstzinnige talenten gaan werken voor de reclame. De meest intelligente wetenschappers breken zich het hoofd over welke markten nog aangeboord kunnen worden. Over hoe we de mensheid efficiënt in doelgroepen kunnen opdelen. Hoe we die doelgroepen kunnen wijsmaken dat zij behoefte hebben aan dingen waar we drie jaar geleden nog niet eens van hadden gehoord.

Een groot probleem van de reclamemensen is onze reclamemoeheid. We worden zo overspoeld met informatie en keuzemogelijkheden dat het ons moe maakt. Uit onderzoek blijkt dat we wel graag over zo veel mogelijk informatie beschikken. Maar we houden nauwelijks energie over om iets met de overload aan informatie te doen. De makers van tv-spotjes zijn bang dat we niet meer naar hun spotjes kijken, omdat we bij het begin van het reclameblok massaal wegzappen en naar de wc gaan. Óf dat we wel kijken, maar het niet meer onthouden. Óf dat we wel iets van het filmpje onthouden, maar vergeten voor welk product dit nou reclame was. Ja, dat zijn nog eens zorgen.

Neuromarketing

Sinds een aantal jaren zijn wetenschappers in staat te onderzoeken welke gebieden in de hersenen actief zijn gedurende bepaalde activiteiten. Bedrijven hopen op deze manier te ontdekken hoe ze ons kunnen aanzetten tot kopen, zónder dat we ons daar bewust van zijn. Het blijkt namelijk dat wij tegenover enquêteurs heel anders reageren – namelijk sociaal wenselijke antwoorden geven – dan wij ons in werkelijkheid gedragen. Neuromarketing onderzoekt welke stimuli ons doen besluiten het ene product boven het andere te verkiezen.

Martin Lindstrom beschrijft in zijn pas verschenen boek *Koop mij* wat de uitkomsten zijn van zijn onderzoeksproject. Er namen meer dan 2000 vrijwilligers deel aan het onderzoek met geavanceerde hersenscans.

Het blijkt dat vroegere marketingstrategieën vooral gebaseerd waren op aannames. Uit het neurologisch onderzoek van Lindstrom blijkt dat die aannames vaak niet kloppen. Een bedrijf dat gebruikmaakte van neuromarketing is Dior. Hun geur J'adore, is volledig – tot en met de in de advertentie gebruikte kleuren – ontwikkeld op basis van reacties van aan de MRI-scan gekoppelde proefpersonen. Neurowetenschappers hebben zelfs bestudeerd hoe onze hersenen beslissingen nemen over het bedrag dat we bereid zijn aan een bepaald product te besteden. Bij een onderzoek van de universiteit van Stanford vroegen wetenschappers aan proefpersonen die aan de scan gekoppeld waren om verschillende wijnen te proeven. De prijs werd erbij verteld. Eén wijnsoort werd twee keer aangeboden. De ene keer als een dure wijn, de andere keer als goedkoop. Bij dezelfde wijn steeg als hij duur was de activiteit in de mediale cortex, het gebied waar genot wordt gevoeld. Als we alleen maar dénken dat iets duur is, genieten we al!

De belangrijkste les die bedrijven hebben geleerd van neuromarketing is dat vragen naar de beweegredenen van consumenten (waarom besluit je een bepaald product te kopen?) maar heel beperkt iets zegt over hun besluitvorming. Weinig consumenten zullen zeggen: 'Ik heb die tas van Louis Vuitton gekocht omdat ik nu eenmaal ijdel ben, en omdat ik aan mijn collega's wil laten zien dat ik zo'n tas van vijfhonderd euro kan betalen.' De onderzoeken tonen aan dat het merendeel van onze beslissingen in het onderbewuste wordt genomen. Marketeers zullen hun best doen om steeds meer in te spelen op onze onbewuste wensen en verlangens.

Ook is aangetoond dat het voor marketeers zinvol kan zijn om ons bang te maken. Bijvoorbeeld in spotjes voor verzekeringen. Deze aanvallen op onze gemoedsrust blijken een diepe indruk te maken, en te beklijven. Dit kan er ook toe leiden dat reclames inspelen op onze angst 'niet goed genoeg' te zijn: dat we te dik zijn, roos hebben, er niet uitzien. Tenzij we de gepromote producten kopen.

Tegenspartelen

Tv-reclame kúnnen we nog wegzappen – en dat schijnen we gelukkig ook massaal te doen. Maar ook programma's die we soms wel willen zien – zoals kook-, huis-, tuin- en klusprogramma's, dramaseries en soaps – staan bol van de reclame. Beïnvloeding via sluikreclame blijkt zeer effectief (zoals ook naar voren komt uit de neuromarketingonderzoeken). En we hebben het niet eens in de gaten.

Willen we dit? Hoe kunnen we die beïnvloeding tegengaan? Hoe houden wij ons koopgedrag in de hand? Stel, je bent aan het winkelen en ineens overvalt je de neiging een impulsaankoop te doen. Je hebt er nooit eerder over gedacht dit ding te kopen. Stel jezelf in zo'n geval, voordat je toegeeft aan die impuls, de volgende vragen:

- Wat brengt mij nu ineens op het idee dit te kopen? Reclame? Aanbieding?
- Wilde ik dit (al langere tijd) echt hebben?
- Heb ik een soortgelijk ding al in mijn bezit?
- Wil ik dit cadeau doen? Wie heeft hierom gevraagd?
- Is dit een gunstige prijs?
- Gaat dit product voor extra kosten zorgen? Zo ja, kan ik die betalen?
- Waar ga ik het opbergen?
- Koop ik het misschien om bij een bepaald groepje te horen?
- Bij welke mensen wil ik eigenlijk horen?
- Zal ik de aankoop twee weken uitstellen? Misschien hoef ik het na twee weken al niet meer.

Verweer tegen reclame
Ongeadresseerde post kan grotendeels tegengehouden worden door een brievenbussticker. De stickers zijn er in twee vormen: ja/nee (wel huis-aan-huisbladen, geen reclame) of nee/nee (geen van beide). Ze zijn verkrijgbaar bij de gemeente, soms ook bij bibliotheken. Of te bestellen via www.milieu-defensie.nl.

Je kunt 90 procent van de verkooptelefoontjes weren door je in te schrijven bij www.infofilter.nl. Daarmee laat je aan alle bedrijven die aangesloten zijn bij Infofilter weten dat je geen prijs stelt op hun aanbiedingen. Infofilter is een onderdeel van de onderlinge afspraken die bedrijven hebben gemaakt in de Richtlijn Telemarketing. Niet alle bedrijven zijn hierbij aangesloten. Die bedrijven kun je apart een briefje sturen. De niet-aangesloten bedrijven zijn meestal ook de vervelendste. Er is een wet in de maak die deelname aan het Infofilter verplicht stelt aan bedrijven. Als dat is geregeld, kunnen bedrijven die je ondanks je inschrijving toch lastigvallen een enorme boete krijgen.

Je kunt op www.telemarketinglijn.nl klagen bij de telemarketingbranche zelf. Voor de tussentijd: een stel mondige consumenten bedacht een 'tegenscript', waarbij je zélf allerlei persoonlijke vragen gaat stellen (naam, leeftijd, hoogst genoten opleiding) aan degene die namens het telemarketingbedrijf belt. Zie www.xs4all.nl/~egbg/tegenscript.html.

Je kunt ook zeggen dat je zelf adviseur of verkoper bent op het terrein waar ze over bellen. En dat je alles dus uitstekend geregeld hebt. Dan ben je snel van ze af zonder dat het onaangenaam wordt. Ook gehoord: iemand die zei: 'Ik ben zó blij dat u belt, want ik heb een vreselijke dag gehad. Ik ben uitgegleden, moest naar het ziekenhuis, úren moeten wachten, was er een rib gebroken! Afijn. Toen bleek, daar kunnen ze niks aan doen, hè... dus de thuiszorg gebeld...' Tegen die tijd was de verkooppoging gestaakt.

Vergelijk prijzen, let op aanbiedingen, en onderhandel

Je kunt alles doen wat reclame liever niet heeft. Die wil dat je snel, hier en nu beslist. Denk dus langer na, vooral bij grotere aankopen. Koop wat grotere dingen pas na vergelijkend onderzoek. Is het artikel ergens in de aanbieding? Is het artikel duur in het gebruik? Je ziet bijvoorbeeld een voordelige printer, maar die blijkt alleen gevuld te kunnen worden met onbetaalbare cartridges. Of een mooie auto die zeer onzuinig rijdt. Dat is allemaal uit te zoeken als je lid bent van de Consumentenbond. Als je oog is gevallen op een bepaald merk en type, kun je op internet vinden waar het voordelig wordt verkocht. En meewegen hoe de service van die winkel bekendstaat, of ze thuisbezorgen, of het dichtbij is en dergelijke. Er zijn speciale prijsvergelijkingssites. Op www.2dehands.nl staan de sites die actief zijn op dat gebied op een rijtje.

Als je besluit een bepaald artikel in een bepaalde winkel te gaan kopen, kun je proberen te onderhandelen. Bij het kopen en verkopen van tweedehands auto's is afdingen bekend en geaccepteerd. Bij andere dure producten (keukens, witgoed en zelfs bij hypotheken) zal de verkoper beslist niet raar opkijken als je vriendelijk vraagt of dit de uiterste prijs is. Er zijn mensen die afdingen beschouwen als een sport en er echt goed in zijn. Bedenk dat de verkoper handelaar is van beroep. Bij het inkopen probeert hij gunstige prijzen te bedingen. Het zou flauw zijn om jou raar aan te kijken om hetzelfde gedrag.

Tweedehands is twijfelachtig, maar 'vintage' kan wel

Tweedehands is natuurlijk altijd goedkoper dan nieuw. Maar door reclame is ons wijsgemaakt dat alleen gloednieuw goed genoeg is voor ons. En toch, erg consequent zijn we daarin ook niet. Een huis wordt bijna altijd tweede-hands gekocht. Een vooroorlogs huis heeft zelfs meer sta-tus dan een nieuwbouwhuis. Bij auto's vinden we het heel normaal om tweedehands te kopen, evenals bij fietsjes voor kleine kinderen. Ook tweedehands boeken via bol.com zijn geaccepteerd. Tweedehands geliefden zijn vaak beter; die weten beter wat ze wel en niet willen, en zijn wijzer. Wat kan helpen is gewoon andere woorden te gebruiken. 'Vintage' klinkt juist weer oké. Het advies is even de tijd te nemen voor je iets nieuws koopt en éven rond te kijken op markt-plaats.nl. Als je je openstelt voor het feit dat ongeveer alles tweedehands te koop is, kun je enorm veel besparen.

Artikelen huren

Overweeg voordat je iets duurs koopt altijd of je het ook zou kunnen huren. Van tevoren weet je vaak niet of je het artikel regelmatig nodig zult hebben. Ook kun je een beetje erva-ring opdoen met een bepaald soort of kwaliteit.

Grote gereedschapsverhuurders als Bo-rent en Boels ad-verteren met prijzen die exclusief btw zijn. Dat ziet er dus goedkoper uit dan het uiteindelijk zal worden.

Bouwmarkten zoals Gamma, Praxis en Fixit zijn goedko-per, maar hebben minder keus. Kijk op www.verhuurweb.nl, www.borent.nl, of op de websites van bouwmarkten.

Huizen, hotelkamers, boten huren

Exact hetzelfde geldt voor het kopen van een tweede huis, boot of luxe tweede auto.

Vooral een appartement aan de Spaanse kust, een boerde-rij in Zuid-Frankrijk en een flinke boot of sloep worden in het begin gezien als een slimme investering. Er zijn tv-pro-

gramma's die hoog opgeven van de voordelen en die uiteraard graag helpen bij de financiering. Begrote inkomsten
(bijvoorbeeld door verhuur) vallen echter steevast tegen en
de uitgaven die de nieuwe aanwinst behoeft ook. Het huis en
de boot moeten onderhouden worden, en dat brengt werk en
ergernis met zich mee. Acht of tien uur rijden naar Zuid-
Frankrijk blijkt toch een hele kluif, en zo gaan mensen veel
minder vaak naar hun paleisje dan ze dachten. Voor het geld
van de aanschaf, soms alleen van de rente, had je kunnen lo-
geren, verblijven en varen zoveel en waar je maar wilt.

Lenen, delen, vinden, vragen, krijgen of laten zitten

Reclame wil dat je koopt. Maar veel mensen vinden het
geen enkel probleem om gereedschap, een boek, laptop, cd,
computerspel, landkaart, reisgids, tent, rugzak, schaatsen
of skates uit te lenen. Je kunt sommige artikelen ook delen.
Voor autodelen bestaat zelfs een vereniging. Kijk op
www.autodate.nl of www.deelauto.nl.

Je kunt complete woningen inrichten met gevonden of
gekregen spullen. Studenten die een mailtje in het adres-
boek van hun ouders rondsturen dat zij op zoek zijn naar
huisraad, krijgen vaak meer dan ze kunnen bergen. Als je
weet dat mensen een artikel nog hebben staan, kun je vragen of je het kunt overnemen. Je kunt spullen voor je ver-
jaardag vragen.

Er zijn mensen die met zichzelf afspreken zelden of
nooit in te gaan op acute koopimpulsen. Die schrijven in
een notitieboekje het artikel dat nu ineens echt nuttig, nodig en handig lijkt, met de datum, de prijs en de winkel. En
dan na twee weken kijken ze in het boekje. Als de aandrang
nog sterk is, de overtuiging dat het artikel nuttig en nodig is

nog even groot, dan kopen ze het. Bij twijfel: twee weken uitstel. De kans is heel groot dat het verlangen naar dat ene ding je achteraf tamelijk absurd voorkomt en dat de hebberigheid is weggezakt: het hoeft gewoon niet meer.

Bewust met geld omgaan? Daar heb ik het veel te druk voor Reclame praat ons aan dat dingen zelf doen armoedig en tijdrovend is. Maar zelf doen is juist leuker en het levert tijd op. Wie uiteindelijk structureel toe kan met wat minder inkomen, kan een dag minder werken of gaan freelancen. Dan heb je dus juist meer tijd en meer vrijheid. In die tijd kun je grappige en tevens geldbesparende dingen doen. Tijd met je bloedjes van kinderen doorbrengen, ze leuke dingen leren, samen met ze koken.

Zo veel mogelijk kapotte dingen repareren, of dingen zelf maken, of een hobby kiezen die geld oplevert in plaats van geld kost. Je kunt je eigen huis opruimen (zonder dure organizer), schoonmaken (zonder dure hulp die het toch nooit naar je zin doet), je kunt strijken en ondertussen filosofische gesprekken hebben met je peuter, partner of puber.

Boekentips

Koop mij, Waarheid en leugens over ons koopgedrag van Martin Lindstrom, A.W. Bruna Uitgevers, ISBN 978 90 229 9483 2

De Botton laat zien hoezeer wij beïn-
vloed worden door onze angst voor de
mening van anderen. Die anderen be-
oordelen ons inderdaad aan de hand
van uiterlijke rijkdommen, kleding en
auto. Reclame doet ons geloven dat we
veel aan status winnen door dure spullen te kopen.
Toch blijven we het gevoel houden dat we tekortschie-
ten. Het effect van een nieuwe aankoop is maar heel
kort positief, zowel voor ons aanzien als voor ons geluk. Je bewuster opstellen tegenover de *ratrace* scheelt
heel veel geld en maakt niet ongelukkig.

Statusangst **van Alain de Botton, Uitgeverij Olympus,**
ISBN 978 90 467 0283 3

8. Vele kleintjes...

Nadenken over geld, inkomsten en uitgaven heeft over de hele linie een slechte naam. Bepaalde deelonderwerpen gaan nog wel; 'rijk worden' is best een aardig onderwerp, de fiscus ontwijken of tillen is ook geen slecht agendapunt op feestjes. Grote aankopen voordelig(er) opsporen en korting weten te regelen: ook dat heeft nog wel enig aanzien. Maar besparen op kleine posten heeft een bedroevend lage status. Dat is voor armoedzaaiers, voor gierigaards, krentenwegers en vrekken. Maar: *wie het kleine niet eert, is het grote niet weerd.*

Wil je echt iets van geldzaken begrijpen, je vooroordelen toetsen en aanzienlijk meer geld overhouden, dan kun je niet om de kleine besparingen heen. Hoe sta je tegenover de dagelijkse uitgaven?

Checklist 'vele kleintjes'

	nee	twijfel	ja
- Kleine besparingen helpen niet.	☐	☐	☐
- Gratis bestaat niet.	☐	☐	☐
- Gezond en lekker eten is duur.	☐	☐	☐
- Aanbiedingen zijn altijd gunstig.	☐	☐	☐
- Ik koop vaak meer dan ik van plan was.	☐	☐	☐
- Ik heb in de supermarkt vaak een volle kar.	☐	☐	☐
- Ik koop het liefst A-merken.	☐	☐	☐

	nee	twijfel	ja
- Huismerken hebben minder kwaliteit.	☐	☐	☐
- Ik gebruik een dure gezichtscrème.	☐	☐	☐
- Wij drinken meer dan 1 liter frisdrank per dag.	☐	☐	☐
- Op eten moet je nooit besparen.	☐	☐	☐
- Zuiveldrankjes zijn goed voor je gezondheid.	☐	☐	☐
- Ik gun mijzelf mijn sigaretten.	☐	☐	☐
- Voordelige koffie zou ik nooit kopen.	☐	☐	☐
- Ik proef absoluut verschillen tussen A- en huismerken.	☐	☐	☐
- Een fiets met lekke band gaat naar de fietsenmaker.	☐	☐	☐
- Ik heb een sportschoolabonnement, maar ga te weinig.	☐	☐	☐
- Kinderen moeten het beste, dus het duurste hebben.	☐	☐	☐
- Al ons wasgoed gaat in de droger.	☐	☐	☐

Kleine besparingen helpen niet

Er gaat geen interview voorbij of men vraagt mij: 'Wat is de gouden bespaartip?' Wat daarmee bedoeld wordt, is dan: een enorme besparing, die makkelijk is te realiseren. Bijbehorende gedachte is dat kleine besparingen er vanzelfsprekend niet toe doen. Maar het is andersom: grote besparingen zijn lastig, want het zijn er maar twee: stoppen met roken en de auto wegdoen. En daarover zijn we snel uitgepraat:

- Als je niet rookt, kun je niet stoppen.
- Als je wel rookt, kun je kennelijk ook niet stoppen.
- Als je geen auto hebt, kun je hem niet wegdoen.
- Als je wel een auto hebt, wíl je hem niet wegdoen.

Het wegdoen van een tweede auto is nog wel een grote besparing die te overwegen valt, maar daarvoor geldt heel vaak hetzelfde als voor de eerste auto: mensen wíllen hem houden.

Kortom: grote besparingen, daarvan zijn er te weinig en ze zijn ontzettend ingrijpend.

Kleine besparingen zijn geweldig, want:
- Er zijn er heel veel van. Je kunt dus uit een enorm aantal kleintjes kiezen.
- Bij het kiezen begin je onder in je eigen prioriteitenlijst.
- Besparingen die je niet ziet zitten kies je dus niet.
- Ze komen vaak dagelijks terug en tellen daardoor lekker op.

Een besparing van 2 euro per dag levert al zo'n 700 euro per jaar op, meer dan 1500 ouderwetse guldens. Om de motivatie te versterken: zoek een paar piepkleine besparingen. Reken uit wat die per jaar schelen en dan per tien jaar. Tel dan een paar van die kleintjes bij elkaar op. Het bedrag (7000 à 15.000 euro in tien jaar) is toch het verschil tussen altijd rood staan of wat achter de hand hebben.

Weggegooid geld

Het blijkt dat in Nederland per persoon zeven hele broden per jaar worden weggegooid. 112 miljoen broden: dat is toch ongehoord! Volgens het Nibud gooit een huishouden jaarlijks tussen de 110 en 165 kilo voedsel weg. Dat is 3 kilo per week! Er verdwijnt op die manier per gezin 330 euro per jaar in de vuilnisbak. Zonde van het geld, maar vooral ook een vreselijke verspilling. Op de site van het Nibud én op de site van Milieu Centraal (www.milieucentraal.nl) kun je een test doen om vast te stellen hoeveel je weggooit. Doe aan weggooipreventie. Loop voor het boodschappen doen altijd eerst door je huis, kijk in de voorraadkast, kelder, koelkast, diepvries en andere plaatsen waar je eten bewaart. Plan een maaltijd met wat er nog (te veel) in huis is. Misschien zijn boodschappen niet eens nodig. Als je alleen een vreemde combinatie van ingrediënten in huis hebt, kijk dan eens op www.recepten.nl en typ bij de zoekfunctie de ingrediënten in. Dan kom je bij recepten die zo veel mogelijk de opgegeven ingrediënten bevatten.

A-, huis- of C-merken
Binnen elke supermarkt zijn er drie prijscategorieën. De duurste zijn de merkartikelen, de zogenoemde A-merken. De Coca-Cola, Heineken, Liga, Grand'Italia, Calvé en ga zo maar door. De tweede categorie zijn de huismerken, die vaak exact dezelfde kwaliteit hebben als de A-merken. Vaak komen ze uit dezelfde fabriek en hebben ze alleen een eigen verpakking.

Dan zijn er de C-merken, ofwel de onbekende merken die de voordeligste in hun categorie zijn. Ze hebben een eenvoudige verpakking, liggen laag in het schap (soms bijna verstopt) en er wordt geen reclame voor gemaakt. Probeer ze eens uit.

Ja maar: 'Goedkoop is duurkoop'
Het zijn vooral mannen die dit beweren. En het klopt soms. Uit consumententesten blijkt echter keer op keer dat 'duur' lang niet altijd ook 'kwaliteit' betekent. En regelmatig komen de goedkoopste producten als beste uit de bus. Uit consumententesten van de Consumentenbond, het *AD*, *Tros Radar* en andere tv-programma's blijkt dat het voordeligste product sóms het lekkerste is of van de beste kwaliteit. Op zoek naar gevalletjes 'goedkoop is een goede koop' kom je

ze in alle categorieën tegen. De voordeligste paaseitjes, koffiepads, chocoladeletters, stroopwafels, rundergehakt, cola (alles blind geproefd), vaatwastabletten, en regenpakken kwamen als beste uit de test.

Prijslijst

Je kunt een lijst maken van jouw favoriete basisproducten, en noteren waar die het voordeligst zijn. Zo kun je in de gaten houden hoe de prijzen zich ontwikkelen. Prijzen zijn de laatste jaren flink gedaald én gestegen. Toch zijn enkele producten door de jaren heen gelijkgebleven of zelfs voordeliger geworden. De beste keus maak je als je je eigen prijslijst aanlegt. Door het maken van een prijslijst met je favoriete producten word je je meer bewust van prijsverschillen.

Product	Merk/soort	Winkel	Prijs €	Eenheid
Fritessaus	Gold	Aldi/Lidl	0,75	1 liter
Fusilli	Primo	Jumbo	0,39	500 gram
Gehakt (rund)	diepvries	Lidl	1,95	500 gram
Gehakt rund	vers	Lidl	1,99	500 gram
Gist	Koopmans	Vomar	0,69	3 x 7 gram
Halvarine	Vita d'or	Lidl	0,39	500 gram

'Ja, maar ik haat de voordeelsuper'

Ga naar de winkel van je eigen keuze. Welke winkel je kiest, maakt wat besparen betreft bijna niet uit. Je koopgedrag in die winkel des te meer. Het gaat erom of je je weet te beheersen. Je kunt je arm kopen bij de discounter en heel slim winkelen bij de buurtsuper. De beste winkel is vooral dicht in de buurt. Je bespaart dan op tijd en reiskosten. Het moet een winkel zijn waar je graag komt, waar ze vriendelijk zijn en goede service bieden. Het belangrijkste is dat je zélf enig idee hebt van prijzen.

'Gezond eten is nu eenmaal duur!'

Het vooroordeel is dat het niet kán: goed, gezond en lekker eten voor weinig geld. Als het goedkoop is, dan kan het niet lekker zijn, of niet gezond. De conclusie is dat besparen op eten dus ongezond moet zijn. Dat is niet zo. Onze overvolle boodschappenwagentjes zijn wel duur, maar er zit nauwelijks eten in. Ze zijn gevuld met koek, snoep, ribbelchips, vla, chocola, nootjes, bitterballen, cola, Nutella, cassis, bier, kroketten, wijn, sigaretten, tijdschriften, kaarsen, ijs, kant-en-klaarsauzen, prakjes in zakjes, kruidenpasta's, kreukelfrieten, taart, geconstrueerde zuiveldrankjes, Icetea met vitaminen, geklopte slagroom, energiedrank, kattenbakkorrels en kauwgum. Basisproducten zijn gezonder, vers, lekkerder én niet duur,.

Basisproducten zijn GG&G: Goed, Gezond en Goedkoop.

Basisvoeding

- Zelfs in de wat kleinere 2,5-kiloverpakkingen en biologisch zijn **aardappels** niet duur. Niet gezonder, maar wel duurder zijn de steeds verder uit het schap puilende voorraden minizakjes met geschilde níet-biologische aardappels, schijfjes, golfjes, partjes en krieltjes, al dan niet gekruid en gemengd met een snuf paprika of rozemarijn. Die kosten al snel zo'n 2 euro voor 450 gram.
- **Pasta** en **rijst** zijn ook GG&G. Dure merken als Grand'Italia kosten een veelvoud van de meest eenvoudige pasta, maar zijn echt niet gezonder. Spaghetti kost 24 cent voor een pond, bami vanaf 35 cent. Rijst kost 39 cent voor 400

gram (witte of zilvervliesrijst) bij de voordeelsuper of van het merk Euroshopper van Albert Heijn.

- **Groente** is wekelijks in de aanbieding en is dan niet ineens minder gezond. Het is niet ongezond om af te wisselen met diepvries of groente uit een pot of blik. Je kunt ook uitwijken naar blik of pot als de groente tijdelijk erg duur is, bijvoorbeeld door extreme regen of droogte. Koop groente voordelig aan het stuk; dus niet gewassen en gesneden. Gesneden groente bevat soms bacteriën en is natuurlijk minder vers.

- Veel mensen besluiten om verschillende redenen minder (vaak) **vlees** te eten, hetgeen gezonder en goedkoper is. Maar de markt speelt daar handig op in en presenteert groentesticks, vegaburgers en koolkroketjes, waar een biefstukprijs voor gerekend wordt. Kaas is een goede vleesvervanger. Noten leveren ook eiwit; die kun je gratis rapen in de herfst. Of wissel eens af met een gekookt of gebakken eitje. Scharreleieren zijn al te koop vanaf 95 cent voor tien stuks.

- Mannen en kinderen eten zelden uit zichzelf en spontaan **fruit**. Het moet geschild, in partjes en met lichte dwang worden aangeleverd, door vrouwen/moeders die weten dat we per persoon per dag twee stuks fruit moeten eten. De industrie had dat ook in de gaten. Die kwam met Fruit2day, het flesje fruitsap met pulp, dat zou tellen voor twee stuks fruit. Fruit2day is natuurlijk niet vers, en het is vooral erg duur. Zo'n flesje komt op €6,63 per liter. Een appeltje is GG&G; bijvoorbeeld Elstars kostten €1,29 voor 1,5 kilo, dat is 8 cent per appel.

- Door bepaalde zuiveldrankjes (als Yakult en dergelijke) te nuttigen zou je het immuunsysteem versterken, je weerstand en stoelgang verbeteren, je botten sterker maken en je cholesterol verlagen. Volgens Patricia Schutte, deskundige van het Voedingscentrum, zijn deze producten alleen zinvol voor een kleine, speciale doelgroep. 'Voor gewone mensen zoals jij en ik is het voordelige basisproduct (halfvolle melk, yoghurt, karnemelk) eerste keus,' zegt zij.

Snoep en **snacks** zijn duur en níét gezond. Hartige knabbels bevatten weinig suiker, maar des te meer vet. Een handje pinda's en het kleinste zakje chips leveren al een bom calorieën. En ze zorgen voor een hoge kostenpost. Bijkomend argument om te besparen op dit terrein is dat in snoep en snacks geen stoffen, vitaminen of mineralen zitten die je op andere wijze niet binnenkrijgt. Het effect van minderen met snoepen op je gezondheid zal uitsluitend positief zijn. Wat je het best kunt doen, is een keer bijhouden wat je in een week aan snoep in huis haalt en opeet. Met de prijzen erbij. Wil je minder snoepen, formuleer voor jezelf dan hóéveel minder. Wat mag je nog wel? Wees daarbij niet te streng, stel haalbare doelen.

Drinken

Volwassenen hebben zo'n 1,5 liter vocht per dag nodig. Voor de gezondheid is het het best koffie, thee, water en met mate melk en vruchtensappen te drinken. Frisdrank is duur, zuur en dikmakend, en valt in feite in de categorie 'snoep'. Light frisdranken bevatten weer veel zoetstof. Dat zou geen kwaad kunnen, maar ze zijn ook niet GG&G. Het Voedingscentrum adviseert ouders om kinderen te wennen aan het drinken van water. Water! Wat goed is voor kinderen is ook goed voor ons. Op frisdrank kun je besparen door

over te stappen op een huismerk, minder frisdrank te kopen of, nog beter: frisdrank te beperken tot feestdagen. Er
bestaat bronwater dat nooit meer opgaat: gewoon de lege
flessen vullen aan de kraan en koel zetten.

Vervoer

De eerste besparing op vervoerskosten is te halen door op
kleine afstanden altijd de fiets te pakken in plaats van de
auto. Het is voordeliger, beter voor het milieu én voor je conditie. Stimuleer jezelf op alle mogelijke manieren om dit te
doen. Een oude bespaartruc is de auto een straat verderop te
parkeren, zodat je sneller de fiets pakt.

Bus: als je zo'n drie keer per week met de bus gaat, is een
abonnement voordeliger. Kijk op de website van je bus-
maatschappij naar mogelijkheden en korting.

Trein: hier zijn veel kortingsregelingen mogelijk. Kijk op
www.ns.nl/voordeel. Op de site www.treinreiswinkel.nl
zijn aanbiedingen van voordelige treinreizen en kortings-
mogelijkheden te zien. Zie ook www.9292ov.nl en
www.greenwheels.nl.

Uit(stapjes)

Op www.lastminuteticketshop.nl zie je dagelijks vanaf 12.00
uur welke voorstellingen in de aanbieding gaan. Je krijgt dan
50 procent korting op concerten, theater, cabaret, jazz, klas-
sieke muziek, toneel, of wereldmuziek. Bepaal thuis hoeveel
je wilt uitgeven op een gewone stapavond. Neem dat bedrag
contant mee en laat je pinpas of creditcard thuis.

Een groot deel van de kosten van uitstapjes hangt samen
met de reiskosten. De eerste besparing pak je door leuke
mogelijkheden te zoeken die dicht in de buurt zijn. Je kunt

een dag op pad in de dichtstbijzijnde stad, of zelfs in je eigen woonplaats, en je daar eens helemaal als toerist gedragen. Google op 'gratis uitstapje' in combinatie met je woonplaats; er is ontzettend veel mogelijk. Voor uitstapjes met kinderen: zie www.kidsgids.nl. Kidsgidsen zijn leuke boeken met uitstapjesinspiratie. Er is ook een Kidsgids Budget.

Roken

Roken is niet alleen verslavend en verwoestend voor de longen, maar ook slecht voor je tandvlees, je haar, je huid, je weerstand, je potentie en het herstellend vermogen van je lichaam (bijvoorbeeld het genezen van wonden). Het mag ook bijna nergens meer. En het is duur! Voor wie rookt is stoppen de meest effectieve stap om te besparen. Hoe jonger je bent als je stopt, hoe meer winst je boekt op het gebied van gezondheid en geld. Je krijgt direct een betere conditie, gaat er beter uitzien, minder hoesten, je voelt je terecht trots én hebt na een paar jaar al minder kans op nare ziekten. En je bespaart, als je een pakje per dag rookte, zo'n 34.000 euro in twintig jaar. Als je al zo lang rookt: stel je voor wat je daarmee had kunnen doen. Als je nog niet zo lang rookt: stel je voor wat je met dat uitgespaarde geld en je langere, gezondere leven allemaal kunt doen!

Vakantie

Volgens de Tilburgse hoogleraar gezondheidspsychologie Ad Vingerhoets verspillen we onze vrije tijd aan verre reizen en nutteloze uitstapjes, met het doel onze status te verhogen. Volgens hem is rustig thuisblijven de ware vakantie. Misschien is zo'n Vingerhoets-vakantie iets voor jou. Anders kun je in Nederland ook leuk op vakantie. Veel mensen kennen Nederland helemaal niet goed, terwijl ons landje erg afwisselend is en toeristen uit de hele wereld onze grachten, musea en molens komen bezichtigen.

Fitness

De helft van de Nederlanders beweegt te weinig. Vooral mensen met zittende beroepen en jongeren halen de norm van dertig minuten matig intensief bewegen per dag niet. Het Nederlands Instituut voor Sport en Bewegen (NISB) begon daarom met de FLASH-campagne en daarna met de actie 30MinutenBewegen. De afkorting FLASH staat voor Fietsen-Lopen-Actiemomenten-Sporten-Huishoudelijke klussen. Het idee is dat je niet altijd hoeft te sporten om meer te bewegen. Ook een wandeling tussen de middag, boodschappen doen op de fiets, het bed opmaken, stofzuigen, klussen, seksen en tuinieren zijn activiteiten die passen bij een actieve leefstijl. Dit zijn vormen van beweging die geen geld kosten en juist besparen.

Fietsenvoordeel

De fietsenmaker is niet goedkoop. Het scheelt een heleboel geld als je lekke banden zelf plakt. Laat het je uitleggen door iemand die er handig in is of kijk op www.fiets-tips.nl, daar staan duidelijke instructies met tekst en plaatjes. Je kunt ook terecht op www.fietsrepareren.nl/tips/. Je fiets goed schoonhouden verlengt de levensduur. Nog beter is jaarlijks 'een grote beurt', waarbij je ook de bewegende delen smeert en controleert of de verlichting en remmen nog goed werken. Een goed slot verkleint de kans dat je fiets gestolen wordt. Op www.fietsersbond.nl staan recente tests van sloten en diefstalpreventietips.

Kinderen duur?

Kinderen zijn duur, dat zegt tenminste iedereen. Maar er is juist bijzonder veel te kiezen in de uitgaven rond kinderen. Hoe kleiner het kind, hoe groter de bespaarmogelijkheden. Als je bepaalde zaken iets voordeliger en verstandiger aanpakt en je houdt dat vijftien jaar vol, kun je nagaan hoeveel invloed de kleinste verandering heeft. Je kunt babyvoeding zelf maken en voordelig luiers opsporen via www.watkostenluiers.nl.

Wie ervoor openstaat kan de hele babyuitzet cadeau krijgen. Er zijn altijd mensen in je omgeving die jonge ouders graag helpen met wat ze nog hebben liggen. Een wiegje of bedje, dekentjes, lakentjes, een gebruikt badje, kruik plus kruikzak, aankleedkussen, box, commode, autostoeltje, buggy, wagen, kinderstoel, kledingkast, flessen, kolf, traphekje, wipstoeltje, draagzak, kleertjes en babyfoon.

Boekentip

 Rob Biersma verzorgde lange tijd de achterpagina van *NRC Handelsblad*. Hoe plak je een lekke fietsband? Hoe kook je voor dertig mensen? Waar let je op als je een tent gaat kopen? Wat moet je nooit doen als je een teek uittrekt? Zelf doen is doorgaans het goedkoopst, en het uitgangspunt van de auteurs is bovendien om de zaken zo zuinig en efficiënt mogelijk aan te pakken. Helder, geestig en met veel plezier vertellen Biersma en co-auteur Oosterbaan hoe je het allemaal doet: barbecueën, houthakken, schaatsen slijpen, maar ook een kat houden, de was doen of een

wond verbinden. Het is allemaal zo inspirerend opge-
schreven dat je er gewoon zin in krijgt terwijl je leest –
ook in stofzuigen, een praatje houden of vis klaarmaken.
Ik kan alles – Survivalgids voor het dagelijks leven.
Rob Biersma en Warna Oosterbaan, Uitgeverij Thoth,
ISBN 978 90 686 8372 1

9. Vermogensvalkuilen en de leenfuik

In hoofdstuk 7 over groot geld en (koop)gedrag, staat al het een en ander over hoe de commercie zelf de vraag naar vreemde, nutteloze producten creëert. Hoe reclame ons net zo lang bestookt tot we, onbewust, overtuigd zijn en verlangen naar de aanschaf van het nieuwe ding. Toch is er altijd een kans dat er een restje gezond verstand opspeelt en de gedachte doet opkomen dat wij het nieuwe prul dan wel willen hebben, maar het voorlopig niet kunnen betalen. Daar haakt de markt dan weer op in met reclame voor financiële producten: reclame voor lenen, voor kopen op krediet, voor meer verhulde manieren van betalen, zoals 'gratis' een mobiel krijgen bij een duur abonnement. In welke vorm het ook wordt gegoten, er is er uiteindelijk altijd maar één die de rekening betaalt, en dat ben jij.

Checklist vermogensvalkuilen	nee	twijfel	ja
- Ik heb meerdere creditcards.	☐	☐	☐
- Kopen met creditcards is handig.	☐	☐	☐
- Ik weet hoeveel rente ik betaal met mijn creditcard(s).	☐	☐	☐
- Ik koop wel eens via een postorderbedrijf, op afbetaling.	☐	☐	☐
- Bij kopen op afbetaling weet ik wat het totaal gaat kosten.	☐	☐	☐

	nee	twijfel	ja
- Ik heb een doorlopend krediet.	☐	☐	☐
- Ik weet hoeveel rente ik kwijt ben aan doorlopend krediet.	☐	☐	☐
- Ik heb een persoonlijke lening (PL).	☐	☐	☐
- Ik weet hoeveel rente ik kwijt ben aan mijn PL.	☐	☐	☐
- Als ik een hypotheek zoek laat ik me adviseren door een 'onafhankelijke' tussenpersoon.	☐	☐	☐
- Als de tussenpersoon een woonlastenverzekering adviseert, dan neem ik die verzekering.	☐	☐	☐
- Die tussenpersoon adviseert in mijn belang.	☐	☐	☐
- Als kinderen bij IBG lenen, heeft dat z'n voordelen.	☐	☐	☐
- Tussenpersonen, makelaars en bankiers hebben gezworen te adviseren in het belang van de klant.	☐	☐	☐

Het is de bedoeling dat je jezelf de vraag stelt hoeveel kredieten je eigenlijk hebt lopen, hoeveel rente je daarvoor betaalt. Als je hebt ingevuld dat je 'onafhankelijk advies' hebt ingewonnen, is de kans toch zeer klein dat dat klopt. De term 'onafhankelijk' is niet beschermd; iedereen kan dat over zichzelf zeggen. Als je denkt dat de tussenpersoon een eed heeft gezworen dat hij handelt in het belang van de klant: helaas. Artsen, verpleegkundigen en sommige andere hulpverleners moeten zo'n eed zweren of zoiets plechtig beloven. In de rest van de wereld is er op adviesgebied maar één iemand van wie je echt zeker weet dat hij niet aan je wil verdienen – dat ben je zelf.

Het lenen van vroeger

De kredietcrisis is volgens mij veroorzaakt door onze veranderde houding ten opzichte van lenen. In een kleine honderd jaar tijd is het beeld dat we hebben bij lenen gekanteld. Dat is stap voor stap gegaan. We duiken even terug in de tijd, naar een fragment uit *Kees de jongen* van Theo Thijssen (1923). Kees krijgt als ongeveer 10-jarige de taak de maandelijkse aflossing van een lening te gaan bezorgen:

Vader geeft instructies: 'Denk erom: niemand mag er wat van weten. Je grootvader ook niet, als die je soms uit wil horen. In de wachtkamer van het kantoor zitten een hoop mensen te kletsen, maar jij bemoeit je met niemand.' 'Natuurlijk niet,' zei Kees, die een kleur had. 'Als het je beurt is ga je naar binnen. Het wordt in een boekje geschreven, dat zal moe je natuurlijk meegeven, en dat hou je in je zak totdat je binnen bij de heren staat.' 'In m'n binnenzak,' zei Kees. 'En rammel onderweg niet met het geld, vijf rijksdaalders, en bemoei je onderweg ook met niemand. Neem geen een jongen mee natuurlijk. Weet je de passage in de Damstraat?' 'Waar het zo galmt als je gilt?' vroeg Kees.
Kees gaat op pad en voelt de eer van de familie zwaar op zijn schouders. Hij vond het 't secuurste niet rechtuit naar de Dam te lopen, maar een omweg te maken. Binnen in de wachtruimte van het kantoor bestudeert hij de gezichten van de andere bezoekers. Neemt zich voor niemand te verraden, al zouden ze hem op de pijnbank leggen. Hij maakt zich zorgen over de mogelijkheid dat er een bekende binnenkomt. 'Zo, moest jij hier ook voor iemand anders naartoe?' zou hij kunnen zeggen. Op de terugweg gaat hij mank lopen om niet herkend te worden. 'Niemand heeft me gezien!' zegt Kees bij thuiskomst. 'Ja, Pa weet wel wie hij stuurt,' zegt moeder.

Uit dit fragment kun je helemaal aflezen hoe men tegen lenen aankeek:

- Lenen was een schande, vaak een bittere noodzaak.
- Je probeerde geheim te houden dat je leende, je hield de schijn op.
- Je leende voor eerste levensbehoeften, of kocht 'op de pof' als je tijdelijk geen geld had.
- Je wilde een lening zo snel mogelijk aflossen.
- Ouders leerden dit alles aan kinderen.

Deze manier van kijken naar lenen bestaat niet meer.

De hypotheek

In de jaren vijftig was lenen voor het kopen van een huis verre van gewoon. Ik vertelde al dat mijn eigen ouders in de jaren zestig na rijp beraad een hypotheek namen om het ouderlijk huis te kopen, waarvoor ze 30.000 gulden leenden.
Er hing voor ons kinderen iets beangstigends omheen.
Toch hadden onze ouders het makkelijk. Er was volgens mij
maar één soort hypotheek: je betaalde rente en aflossing,
dertig jaar lang, net zo lang tot de hypotheek was terugbetaald.

Wie tegenwoordig een huis wil kopen moet kiezen uit
zes soorten hypotheken, al dan niet met bijbehorende verplichte verzekering. Je kunt sparen of beleggen voor de aflossing, of beide, óf alleen rente betalen en niets aflossen.
Er is bijna geen mens die al deze producten begrijpt. De tussenpersoon verdient aan de verkoop van het ene soort meer
dan aan de andere.

Het is dus niet ondenkbaar dat de tussenpersoon een hy-
potheekvorm adviseert die hem of haar het meeste oplevert.

Om dit te kunnen controleren zijn vanaf januari 2009 tussenpersonen verplicht aan te geven hoeveel zij op hun advieswerk verdienen. Vóór die tijd bleek uit onderzoek van *Tros Radar*, eind 2008, dat tussenpersonen bij hun antwoord op deze vraag enorm om de hete brij heen draaiden. Ze mompelden iets over de 1 procent bancaire provisie. Ja, dat was nu net de enige vorm van inkomsten die altijd al bekend was. Het ging om hún provisie op dít product.

Verder konden tussenpersonen bonussen krijgen wanneer ze grotere aantallen van een bepaald soort hypotheek verkochten. Dit soort bonussen is straks verboden. Maar het resultaat is inmiddels dat half Nederland een beleggingshypotheek heeft. Het is onzeker of de opbrengst hiervan genoeg zal zijn om de hypotheekschuld af te lossen.

De woonlastenverzekering

De tussenpersoon mag dan per januari 2009 verplicht zijn in de offerte te vermelden wat hij of zij verdient aan provisie op de hypotheek, deze verplichte transparantie geldt niet voor de verzekeringen die hij/zij probeert mee te verkopen. Deze verzekeringen zijn de krenten in de pap voor de tussenpersoon, net zoiets als mooie flesjes wijn dat zijn voor de restauranthouder. Dat zijn gasten binnen zijn en lekker eten is mooi, maar echt goed verdienen doet hij pas aan de wijn.

Een van de 'aanbevolen' verzekeringen is de woonlastenverzekering. Deze belooft je hypotheek te betalen als jij dat door omstandigheden (ziekte, werkloosheid en dergelijke) niet kunt. Maar als de nood aan de man komt blijken er vaak problemen te zijn met het uitkeren. De verzekeringsmaatschappij erkent de oorzaak van het onvermogen om te betalen niet, ze betalen veel minder en/of maar heel kort.

Sommige van dit soort polissen hebben een erg slechte naam. De 'Cardif'-polis wordt in de wandelgangen ook wel de 'Cardief'-polis genoemd. Ooit vroeg een grote club van tussenpersonen mij voor een lezing. In de pauze kwamen er verschillende mensen naar me toe die vertelden dat die 'Cardif' hun ook te ver ging; dat ze toch echt probeerden te adviseren in het belang van de klant.

Je kunt eigenlijk niet van de tussenpersoon verwachten dat hij adviseert in jouw belang, ook als hij daarmee zelf veel minder verdient. Eigenlijk zou de provisie per product verplicht gelijk moeten zijn, zodat je zeker weet dat je een product krijgt dat voor jou het beste is. Of je gaat naar een onafhankelijke tussenpersoon die je per uur betaalt. Daarvan zijn er nog niet veel. Je vindt ze op www.vofp.nl.

Het luie lenen

In Amerika werd grof geld uitgeleend aan mensen zonder baan of inkomen. Het kopen van een huis zou juist de oplossing zijn, omdat gespeculeerd werd op de toekomstige waardestijging. Dáármee zou de rente betaald worden. Over aflossen had niemand het intussen meer. Toen de allerarmsten ook deze lasten niet konden betalen en hun woningen geveild moesten worden, daalden de huizenprijzen. En zo ontstond de kredietcrisis.

Consumptief lenen

In de jaren zeventig kwam het verhaal in omloop dat je leningen beter niet kon aflossen, aangezien de rente aftrekbaar was. Tot 2001 gold dat voor alle leningen: hypotheken en consumptief krediet. Er waren van die handige snelle mensen die beweerden dat ze, al zouden ze het geld op de bank hebben, nog steeds liever zouden lenen om iets te kopen, want de fiscus betaalde mee. Ten eerste is de rente op het consumptieve krediet allang niet meer aftrekbaar. Ten tweede: ook al betaalt de fiscus méé, die betaalt niet alles. Wie rente betaalt, is altijd duurder uit. Deze wijsheid is uit het collectieve bewustzijn verdwenen. Dat komt doordat de commercie nogal stevig aan de slag is geweest. Alle degelijke, traditionele denkbeelden over lenen zijn aangepakt. En dit is het resultaat:

- Lenen is géén schande; geniet nu en betaal later.
- Je hoeft het niet geheim te houden, vertel trots hoe voordelig je leent.
- Je kunt zelfs status ontlenen aan de hoogte van het leenbedrag ('Ik ben goed voor €...').
- Je leent voor leuke dingen die je anders niet zou kunnen betalen: een motor, een serre, keuken of carport.
- Je hoeft de lening niet af te lossen; je kunt kopen wat je wilt, ook als je geen geld hebt.
- Ouders leren dit alles aan kinderen.

Knap gedaan, commercie

Hoe krijgen ze het voor elkaar een complete bevolking in twee generaties zo te hersenspoelen? Het is begonnen met het verhaal dat (vanwege de aftrekbare rente) lenen ook voor de consument voordelig is. Dat je gek bent en een dief van je eigen portemonnee als je het niet doet. Dát is een boodschap die mensen heel wat makkelijker kunnen begrijpen dan die rekensommetjes van de bank. Ze gaan lenen, en verspreiden de boodschap. Ze geloven het, hebben zichzelf overtuigd, en staan niet graag alleen. Dus overtuigen ze iedereen die ze tegenkomen. De opvoeding is het sluitstuk van de leenemancipatie.

Uit recent onderzoek blijkt dat de helft van de Nederlandse jongeren niet goed met geld kan omgaan. Ze lenen, spelen om geld en geven aan dat ze weinig hebben geleerd van
hun ouders. Sterker nog: er zijn experts die ouders adviseren níét te sparen voor de studie van de kinderen. Die kinderen moeten er zelf maar voor werken, en anders moeten ze
het, uiteraard, zelf maar lenen.

De natte droom van de commercie:
- eerst de mensen ervan overtuigen dat lenen leuk en stoer
  is,
- dan gaan mensen elkaar overtuigen,
- en tot slot geven ze de boodschap door aan hun kinderen.

En die boodschap komt bijzonder goed over, zo blijkt.

Kiezen voor je eigen geld of je eigen kind

Feit is dat steeds meer studenten lenen bij de Informatie
Beheer Groep (IBG). Dat is zó makkelijk, het is met een
muisklik te regelen. Wie maximaal leent zit op ongeveer 23-
jarige leeftijd met een schuld van ruim 20.000 euro. De
overheid wil enerzijds dat wij niet rood staan en komt met
de geldverslindende campagne 'Blijf positief', maar in de
praktijk stimuleert ze het lenen van studenten. Je zou wer-
kende/lerende jongeren toch gunnen dat ze leren rond te
komen: iets meer verdienen en vooral minder uitgeven en
beter plannen. Het is de taak van de ouders kinderen te leren om goed met geld om te gaan.

Lenen met je creditcard

Banken en winkelketens bieden creditcards en klantenkaarten aan. Ze komen steeds met een nieuwe 'service', bij-

voorbeeld een grotere bestedingsruimte. Reclame suggereert dat het handig is als je het maximale krediet, bijvoorbeeld 7500 euro, gespreid over lange tijd mag terugbetalen. Maar dat is vooral handig voor de bank. Het rood-staan op een creditcard kost namelijk meestal de hoogst toegestane rente: 18 procent. Als je per jaar zo'n 5000 euro rood staat op de creditcard kost dat een kleine 800 euro rente. Wat is voor jou het voordeel? Dat is er niet. Als je een spaarbedrag van 5000 euro achter de hand hebt, ontvang je ongeveer 250 euro rente per jaar. Het kan zijn dat je leent of op krediet koopt omdat je het geld echt niet hebt, maar ook dat is niet gunstig.

Lenen met een laag loon

Geen geld, toch iets nodig: welkom bij de Neckt-u-man. Bij postorderbedrijven is ongeveer alles te koop, van kleding tot wasmachines. De producten zijn vaak veel duurder dan wanneer je ze op hun voordeligst weet op te sporen. Maar als je bij hen gaat shoppen omdat er niet voldoende cash is, ben je helemaal duur uit. Van postorderbedrijven mag je er meer dan vier jaar over doen om te betalen. Ze kiezen zo'n lange termijn omdat er dan een lachwekkend laag maandbedrag te betalen is. Als je om wat voor reden dan ook weinig geld hebt, zijn er echter betere manieren om voordelig aan een artikel te komen.

Als je toch overweegt een lening af te sluiten, kun je testen of je straks het aflosbedrag wel kunt opbrengen door dat bedrag eerst te sparen. Lukt het niet dat bedrag te sparen, dan lukt het straks ook niet om het af te lossen. De aflossing van je lening moet in je budget passen, anders moet je er niet aan beginnen. Zie je geen andere mogelijkheid dan te lenen? Informeer bij de kredietbank van de gemeente. Die verstrekt ook kleine leningen met redelijke rente. En kijk op www.nibud.nl onder het trefwoord 'lenen' wat voor soorten leningen er zijn, en wat de voor- en nadelen zijn. Kredietgevers zijn verplicht een overzicht van hun voorwaarden en rentepercentages te publiceren. Ook moeten zij laten zien welk bedrag je uiteindelijk in totaal betaalt. De gevraagde rentepercentages hangen af van de vorm van het krediet (doorlopende lening, huurkoop et cetera) en van de aanbieder. Bij klantenkaarten of postorderbedrijven betaal je vaak de hoogst toegestane rente: zo'n 18 procent per jaar.

Leningenchecklist

- Kies alleen een lening die je 100 procent begrijpt, na óók advies te hebben ingewonnen van iemand anders dan de tussenpersoon.
- Probeer een paar maanden uit of je het maandelijkse aflossingsbedrag kunt sparen. Lukt dat niet, dan kun het bedrag straks ook niet missen voor de aflossing.
- Reken eerst uit of je naast het betalen van een aflossing ook nog genoeg ruimte overhoudt om te sparen voor onvoorziene posten.
- Reken uit hoeveel je in totaal gaat betalen.
- Zorg dat de looptijd van een lening nooit langer is dan de levensduur van het ding dat je wilt kopen; leen bijvoorbeeld niet voor een vakantie of een heel oude auto.
- Leen alleen voor iets wat ook te verkopen is als de nood aan de man komt.
- Reken de looptijd die men meestal in maanden vermeldt ook eens om naar jaren: zestig maanden is wél vijf jaar; op welke datum zou je ervanaf zijn?

- Kies voor een zo kort mogelijke looptijd; je betaalt dan al met al minder rente, en bovendien weet je nooit wat er in de komende jaren nog allemaal op je afkomt.
- Ga na of er een mogelijkheid is sneller en boetevrij af te lossen.
- Vraag meerdere offertes aan.

Leenoplichters

Eind 2008 liet de AFM een waarschuwing uitgaan tegen een aantal 'leenoplichters'. Deze ondernemers zijn op heterdaad betrapt. In het *AD* was te lezen dat zij leningen aanboden waarvoor van tevoren een verzekeringspremie moest worden betaald. Zo'n premie bedroeg soms wel 1000 euro. De geleende bedragen waren tussen de 5000 en 30.000 euro groot. Soms bood de oplichter juist leningen aan aan mensen die een negatieve registratie hebben bij het Bureau Krediet Registratie in Tiel. Een van de oplichters had volgens de website van *Tros Radar* van zes slachtoffers bijna 4000 euro gestolen. De AFM maakt op de eigen site namen, faxnummers, e-mailadressen en bedrijfsnamen van oplichters bekend.

De 'leenoplichters' zetten kleine advertenties in kranten, maar zoeken hun klanten vooral via internet. Soms vraagt de oplichter betaling met een moneytransfer. Dat is meestal een teken dat er iets niet klopt. Als de lening via Thailand loopt, is dat ook reden voor twijfel aan de legaliteit en betrouwbaarheid van de aanbieder. Dat geldt ook voor gratis faxnummers die beginnen met 084 of 087. In Nederland, en dus ook op marktplaats.nl, is het verboden om financiële diensten aan te bieden zonder vergunningen.

Boekentip

In *Gepast en ongepast geld* pleit Hans Ludo van Mierlo ervoor een beroepscode voor bankiers in te stellen, in plaats van strengere regels. Want volgens hem is er niet alleen sprake van een financiële crisis, maar ook van een morele. Veel mensen procederen tegen banken en verzekeraars vanwege woekerpolissen en veel te dure producten. Ook is er ergernis over topsalarissen en bonussen. En helemaal veelzeggend: sinds de crisis vertrouwen banken elkaar niet meer. In de bepleite beroepscode moeten het welzijn van de klant en het belang van de maatschappij vooropstaan. Van Mierlo geeft veel details over zijn eigen werk als bankier, die naar mijn idee niet met het onderwerp van dit boek samenhangen. Na zijn boek te hebben gelezen lijkt mij het aanscherpen van regels juist noodzakelijker dan ooit. Alleen met wetten in de hand kunnen gedupeerden naar de rechter. Zo'n gedragscode erbij (en dan meteen ook voor topbestuurders, ondernemers, journalisten, juristen, notarissen, makelaars, docenten en sporters) kan natuurlijk geen kwaad.

Gepast en ongepast geld, een zoektocht naar het geweten van banken van Hans Ludo van Mierlo, Uitgeverij Scriptum, ISBN 978 90 559 4624 2

10. Vermogensopbouw, sparen, beleggen

Als je alle hoofdstukken van dit boek hebt gelezen en bestudeerd, en (beter nog) een paar van de adviezen ter harte hebt genomen, kan het zijn dat je geld overhoudt.

Misschien hield je al wel over, en blijkt dat je meer zou kunnen overhouden. Wat ga je doen met dat geld? Ik hoop dat je gaat sparen om een fijne reserve achter de hand te hebben. Om haperende apparatuur in huis zonder zorgen te kunnen vervangen, om een volgende auto te kunnen afrekenen in plaats van te financieren, om een reserve te hebben als je inkomen wat achteruit zou gaan, voor het studeren of het rijbewijs van kinderen...

Checklist sparen en beleggen	nee	twijfel	ja
- Als mijn salaris binnen is, kijk ik hoeveel ik kan sparen.	☐	☐	☐
- Ik heb een spaarrekening met een redelijke rente.	☐	☐	☐
- Ik weet hoeveel rente ik ontvang.	☐	☐	☐
- Ik spaar bij een veilige bank.	☐	☐	☐
- Ik weet welk deel van mijn spaargeld onder het depositogarantiestelsel valt.	☐	☐	☐
- Ik weet wat die garantie inhoudt.	☐	☐	☐
- Ik heb ook een beleggingsspaarproduct.	☐	☐	☐

	nee	twijfel	ja
- Ik weet zeker wat mijn beleggingen gaan opleveren.	☐	☐	☐
- Ik heb een verzekering bij mijn belegging, dus dat is veilig.	☐	☐	☐
- Ik doe aan gegarandeerd beleggen.	☐	☐	☐
- Daar hoorde een verzekering bij.	☐	☐	☐
- Ik zag laatst een reclame op RTLZ over beleggen vanaf 50.000 euro met een gegarandeerd rendement van 8 procent. Idee?	☐	☐	☐

Aan je eigen antwoorden op bovenstaande vragen kun je zien of je een spaarder of een spender bent. Als je er pas aan het eind van de maand aan denkt misschien nog wat geld naar de spaarrekening over te maken, is de kans dat je een kapitaaltje vergaart klein. Het heeft zin een veilige rekening met de beste rente te zoeken. Of wil je liever beleggen? Weet je exact welke risico's je loopt? Als je denkt dat 'gegarandeerd beleggen' bestaat: dat is een illusie. Informeer je over alle mogelijkheden en risico's in dit hoofdstuk.

Sparen of beleggen?

Tussen 1990 en 2000 stegen de aandelenkoersen als nooit tevoren. Beleggen werd sterk gepromoot, en werd mede daardoor populair onder mensen die zich daar eerder nooit aan waagden. Maar na de dip in 2000 lieten de meeste beginners het toch maar weer aan de deskundigen over.

De helft van sparend Nederland heeft meerdere spaarrekeningen. Maar een derde weet niet wat het rentepercentage op hun spaarrekening is of vergelijkt de rente bij verschillende aanbieders nooit. Dit blijkt uit onderzoek van

SNS Bank over sparen en beleggen. Van de ondervraagden bleek een derde te beleggen. De spaarders wagen zich niet aan beleggen om diverse redenen. Ze hebben het geld niet, hebben geen verstand van beleggen of het interesseert ze niet. Vooral jongeren geven aan weinig kennis te hebben van beleggen, terwijl ouderen beleggen te risicovol vinden.

Wat een zelfkennis blijkt er uit dit onderzoek! Maar het venijn zit in de staart. Twee derde van de consumenten vertelt trouwhartig aan de enquêteur dat ze wel zouden beleggen als de garantie wordt afgegeven dat ze hun inleggeld terugkrijgen. Die schatten van consumenten toch. Beleggen en zeker willen weten dat je je geld plus een bescheiden rendement blijft behouden? Dat heet sparen!

Beleggen

Eind 2008 verscheen *Samen rijk worden* (zie bladzijde 137) van financieel journalisten Erica Verdegaal en Adriaan Hiele, vol met geld- en beleggingstips. Leuk om te lezen dat de deskundige Verdegaal er zélf intuinde en ooit een woekerpolis kocht. Zij had als jonge vrouw een vaderlijke vijftiger als adviseur bij de bank. Toen deze vertrok waarschuwde hij haar: hij was bezorgd over de adviezen van zijn opvolgers. 'Ze zullen je allerlei producten aanraden,' waarschuwde hij. 'Neem ze niet!' Maar Verdegaal nam ze wel, want ze dacht (toen nog) dat adviseurs het beste met je voorhebben.

In hun nieuwe boek adviseren Hiele en Verdegaal alleen geld dat je kunt missen te beleggen, dus nooit te gaan beleggen met geleend geld. Verder raden ze aan zelf maandelijks voor een vast bedrag rechtstreeks aandelen te kopen van een wereldwijd beleggingsfonds.

Zal ik?

Zelf heb ik in de hoogtijdagen waarin de koersen stegen ook wel af en toe met zo'n folder in mijn handen gestaan. Een *Winstverdriedubbelaar*, een *Gouden Vliegwiel* en wat al niet werd er beloofd. Je was in die tijd echt een beetje een saaie boekhouder als je niet meedeed aan de beleggingsmode. Ik bestudeerde de folders. Las in de grote letters dat ik wel meer dan 10 procent rendement kon maken. Dat mijn spaargeld in twintig jaar tijd gegroeid zou zijn tot een aardig vermogen. In de kleine lettertjes, of tussen de regels, las ik dat het ook mogelijk was dat de koersen zouden tegenvallen. Wat er dan zou gebeuren stond er niet bij, maar het was evengoed wel duidelijk: je geld kon ook gehalveerd worden of in rook opgaan. Op een of andere manier leek het me logischer dat het meest ongunstige zou gebeuren dan het meest gunstige. Bij elke aanbieding dacht ik diep na, een seconde of zestig, en gooide de 'geen gezeik, iedereen rijk'-folder dan bij het oud papier.

Beleggen met gegarandeerd rendement?
Wat zit ik nu toch eigenlijk al jaren te modderen in de marge? Altijd schrijven over besparen, stukjes in de krant, af en toe een nieuw boek of Bespaarkalender waar ik toch weer een halfjaar op zit te tikken. En rijk worden: ho maar. Dat moet beter kunnen. Ik begin een bedrijf, dat Easy Rich Invest gaat heten. Ik verzin een bestemming voor beleggingen in vastgoed, ergens ver weg, of in iets financieel onbegrijpelijks. Of ver weg én onbegrijpelijk, dat is nog beter. Er komt een ronkende

folder in full colour en een chique website. Daarin de woorden: 'solide', 'veilig', 'hoge vaste rente', 'stabiele opbrengsten', 'portefeuilleopbouw', en een rekenvoorbeeld van de opbrengst. Inleggen kan vanaf 50.000 euro voor de vaste periode van zeven jaar. (Bij inleg boven de 50.000 euro staat Easy Rich namelijk niet onder toezicht van de Autoriteit Financiële Markten. De AFM denkt dat mensen die een dergelijk bedrag kunnen missen zelf wel goed in de gaten houden welk risico ze lopen.)

Wat wij gaan bieden, althans op papier, is: gegarandeerd rendement van 9 procent. Om klanten te werven komt er een stand op de Miljonairsfair, waar gestropdaste jongens de folders gaan uitdelen en verwijzen naar de website. Ondertussen maak ik een afspraak met Harry Mens, en vraag of ik de Easy Rich Invest-methode mag komen uitleggen in zijn tv-programma *Business Class*. Dat schijnt 10.000 euro te kosten, en dan wil hij als gastheer vast nog wel zeggen dat Easy Rich zeer betrouwbaar is. Als het goed is, beginnen de investeerders nu binnen te lopen. Met de eerste 50.000 euro betaal ik de drukker, de webdesigner en Harry Mens. Met het geld van de tweede investeerder kan ik 133 klanten 375 euro rendement over de eerste maand betalen. Want daar ben ik een rare in: het rendement krijgen ze gegarandeerd. De hoofdsom terugkrijgen – dat is een ander verhaal.

Ik heb maar enkele tientallen klanten nodig en dan kan ik eindelijk eens die villa met zwembad op de Bahama's betrekken en een Porsche kopen. Mijn voorgangers van Palm Invest, Golden Sun Resorts, Royal Dubai en Easy Life Invest hebben elk honderden klanten en tientallen miljoenen inleg weten binnen te halen. Het enige probleem dat zich zóú kunnen voordoen is dat de mensen er niet meer in trappen, maar daar ben ik optimistisch over. Zolang klanten hun maandelijkse 8 of 9 procent rente krijgen piepen ze niet. Ik kan ruim voor de hoofdsommen terugbetaald moeten worden met de Golden Noorder Sun vertrekken. En als ze me eerder oppakken en arresteren, zeg ik gewoon dat ík ben opgelicht. Als het helemaal spaak loopt, kan ik altijd weer gaan schrijven over besparen. Easy Rich Invest gaat mijn leven veranderen, ik voel het.

Toch beleggen?

Als je per se wilt beleggen, volg dan de adviezen van Verdegaal en Hiele. Zorg dat je verstand van zaken krijgt, denk op de lange termijn en kom niet jammeren als het misgaat. Hoe groter de kans op een hoger rendement, hoe groter ook het risico dat je je geld geheel of gedeeltelijk kwijtraakt. Mijn advies is: ga gewoon sparen; het is suf, maar veilig.

Hoe veilig is mijn spaargeld?

Nederlandse banken vallen onder het Nederlandse depositogarantiestelsel. Tot voor kort hield dat in dat bij een faillissement van de bank de eerste 20.000 euro van ieders spaartegoed gegarandeerd werd en de volgende 20.000 euro voor 90 procent. Bij 40.000 euro spaargeld dus maximaal

38.000 euro. Deze garantie is inmiddels – voorlopig – uitgebreid. De Nederlandsche Bank (DNB) garandeert sinds 7 oktober 2008 100.000 euro volledig. Deze vergoeding geldt per persoon, per bank. Voor de en-ofrekening geldt dus een dubbele garantie. Maar let op: deze garantie is tijdelijk, waarschijnlijk voor een jaar.

Als je minder spaargeld hebt dan 100.000 euro, dan is de zaak eenvoudig. Je kunt met een gerust hart een van de banken van Sparenpagina.nl kiezen. Je bent er dan 100 procent zeker van dat je al je geld terugkrijgt in geval van een faillissement of als de bank – om wat voor reden dan ook – niet aan zijn verplichtingen zou kunnen voldoen.

Zorg ervoor dat het saldo niet hoger wordt dan 100.000 euro. Haal de eventueel bijgestorte rente eraf en stort die op een andere rekening. Bij meerjarige deposito's, waar de rente wordt bijgestort, kun je beter met een lager bedrag beginnen, opdat het uiteindelijke saldo niet hoger dan 100.000 euro wordt.

Als je meer dan 100.000 euro spaargeld hebt, en je wilt 100 procent zekerheid, dan zul je meer spaarrekeningen en/of deposito's moeten openen bij verschillende banken. Dat is geen probleem, want er is keus genoeg. Maar bedenk bij het nemen van deposito's dat het garantiebedrag van 100.000 euro maar voor één jaar geldt. Hoe hoog het na 7 oktober 2009 zal zijn, is onbekend.

Geldt deze garantie voor alle in Nederland actieve banken?
Nee. Het IJslandse Icesave bijvoorbeeld viel (voor de eerste 20.000 euro) onder de IJslandse garantie. Inmiddels is

voor de duizenden Nederlandse spaarders bij Icesave duidelijk dat de eigenaar (de IJslandse Landsbanki) failliet is. De Nederlandse overheid probeert de spaarders te helpen. Bij grotere bedragen is het verstandig om het spaargeld bij verschillende veilige banken onder te brengen. Maar let op: een aantal spaarrekeningen (en deposito's) is niet te combineren. Dat komt doordat een bank soms meerdere handelsnamen voert. Als je twee spaarrekeningen hebt die in feite onder één bank vallen, dan geldt de depositogarantieregeling maar één keer. Je kunt kijken op www.dnb.nl (de site van De Nederlandsche Bank) in het Register Kredietinstellingen en Financiële Instellingen. Hierin staan alle banken vermeld die in Nederland een vergunning bezitten.

Banken die onder verschillende handelsnamen spaarproducten aanbieden zijn bijvoorbeeld:
- Avéro Achmea, ook handelend als Centraal Beheer;
- Delta Lloyd Bank, ook handelend als OHRA Bank;
- Rabobank, ook handelend als Bizner Bank;
- Binckbank, ook handelend als Alex beleggersbank;
- SNS Regiobank, ook handelend als Reaal;
- Van Lanschot Bankiers, ook handelend als CenE Bankiers.

Vraag altijd van welke bank de spaarregeling die ze aanbieden is, ook bij spaarregelingen die niet in dit lijstje voorkomen. Want een lijst als deze zal steeds veranderen. Kijk voor de actuele stand van zaken op www.vanspaarbankveranderen.nl onder 'veiligheid'.

Let op voor intermediairs!
In Nederland zijn er veel zogenoemde intermediairs die

spaarproducten aanbieden. Intermediairs zijn geen banken, maar in feite winkels die spaarproducten van één of meer banken aanbieden. Ook bij intermediairs moet je dus opletten of de depositogarantieregeling geldt. Veel assurantietussenpersonen of verzekeringsagenten zijn intermediairs. Vraag altijd van welke bank de spaarregeling is die ze aanbieden. Intermediairs bieden ook spaarrekeningen (en betaalrekeningen) aan van Argenta. Dit is een Belgische bank die níet volledig onder het Nederlandse garantiestelsel valt.

Ook Kruidvat en De Hypotheker bieden spaarproducten aan, die in feite van Delta Lloyd zijn. AH-winkels hebben een spaarproduct, maar dat is in feite van Aegon Bank.

Geldt de garantieregeling ook voor deposito's? En voor kinderrekeningen?

Bij deposito's zet je je geld voor langere tijd vast, voor een van tevoren afgesproken periode. En tegen een vaste rente, die dus niet meer verandert tijdens die periode, zoals bij spaarrekeningen wel het geval is. En ja, voor deposito's geldt dezelfde garantie als voor spaartegoeden.

Er is één uitzondering: het achtergesteld deposito. Deze deposito's (de DSB Bank biedt ze aan bijvoorbeeld) zijn makkelijk te herkennen aan de hoge rente, zo'n 7 procent of zelfs 8 procent. Mocht zo'n bank failliet gaan, dan moet je achter in de rij aansluiten om je geld terug te krijgen.

Ook voor rekeninghouders onder de achttien jaar geldt de garantieregeling. Ieder lid van het gezin heeft recht op zijn eigen maximumgarantie van 100.000 euro. Als je voor kinderen wilt sparen, is het dus veiliger dat te doen op een rekening die volledig op naam van het kind staat.

Waar krijg ik de hoogste rente?

Kijk op de spaarwinstcalculator van www.vanspaarbankver-
anderen.nl. De makers van deze site, Hanneke van Veen, Barbara de Haan en Rob van Eeden, begonnen met sparen.start-
pagina.nl en merkten dat er in Nederland best hoge rentes op
spaarrekeningen zijn te vinden, maar dat spaarders er maar
heel moeilijk toe komen om over te stappen. Om de luie
spaarder een handje te helpen en de bange spaarder goede informatie te geven kwamen ze met www.vanspaarbankveran-
deren.nl. De site is inmiddels een doorslaand succes en werd
al honderdduizenden keren bezocht.

Liever duurzaam sparen?

Op sparen.startpagina.nl staat ook informatie over duurzaam sparen en beleggen. Je kunt daar doorklikken naar
sparen-duurzaam.startpagina.nl, waar je alle mogelijke
informatie kunt vinden. ASN, Triodos en SNS hadden in
2008 duurzame spaarrekeningen met concurrerende
rentes die opliepen tot 4,75 procent. Op www.duurzaam-
ondernemen.nl is gratis *De Duurzaam geldgids* te downloaden. Deze gids is met financiële steun van de ministeries
van EZ en van VROM gerealiseerd. Andere banken (ING,
Postbank, OHRA, Robeco et cetera) hebben ook duurzame aandelenfondsen. Meer informatie hierover vind je op
sparen-duurzaam.startpagina.nl.

Met of zonder voorwaarden

Je moet spaarrekeningen altijd *in hun eigen categorie* met elkaar vergelijken. Je hebt rekeningen zonder voorwaarden. Je
kunt daarop zoveel sparen als je wilt en het geld altijd zonder
boete opnemen. Op dat soort rekeningen is de rente lager dan

op spaarrekeningen mét voorwaarden. Hoe langer je het geld vastzet, hoe hoger de rente. Soms zijn er beperkingen aan het spaarbedrag en in een ander geval moet je juist met een groot bedrag aankomen om de rekening te kunnen gebruiken. Conclusie: hogere rente betekent dat er voorwaarden verbonden zijn aan de spaarrekening. Bepaal zelf wat je wilt, welke voorwaarden je acceptabel vindt. Let ook goed op bij financiële aanbiedingen en reclamestunts. Als een bank zomaar ineens 6 procent rente aanbiedt, mag je waarschijnlijk maximaal 50 euro per maand sparen of iets dergelijks. Leuk voor een student, maar voor de meeste mensen niet nuttig.

Loont het wel de moeite om over te stappen?

Ja, al hangt het natuurlijk af van de hoeveelheid spaargeld en de huidige rente. Via de spaarwinstcalculator die op de site www.vanspaarbankveranderen.nl is aan te klikken kun je uitrekenen hoeveel het scheelt. Je verliest een klein beetje rente door over te stappen, maar als je meer dan een 0,5 procent méér aan rente krijgt, verdien je dat in enkele dagen terug. Voor de gemiddelde spaarder scheelt het al snel honderden euro's om over te stappen. Als je overstapt naar een duurzame rekening met hogere rente, sla je twee vliegen in één klap.

Samenvatting/stappenplan

1. Kijk op de site www.vanspaarbankveranderen.nl bij 'rentemeter' hoe je huidige spaarrekening scoort. Goed (groen), matig (oranje) of waardeloos (rood)?
2. Oranje of rood: kies een andere spaarvorm, zo mogelijk bij je eigen bank.
3. Of kies een andere bank en controleer of die onder de bankgarantie valt.

4. Breng maximaal 100.000 euro per persoon per bank onder.
5. Vraag informatie over de rekening naar keuze en open een rekening.
6. Wacht een schriftelijke bevestiging en rekeningnummer van de nieuwe bank af.
7. Boek het spaargeld naar je betaalrekening, of hef de oude rekening op. Het saldo plus de rente komen op je betaalrekening.
8. Boek over naar de nieuwe spaarrekening met hogere rente.

Banksparen

Tot voor kort was sparen alleen maar fiscaal gunstig (ofwel aftrekbaar voor de belasting), als je spaarde via een verzekeraar. Sinds 2008 kun je echter ook 'banksparen'. Bij de bank spaar je dan voor de aflossing van je hypotheek of voor je pensioen. Wat je spaart is in dat geval tot een bepaald bedrag aftrekbaar van de belastingen. Op dit moment zijn de kosten van banksparen lager dan die van vergelijkbare producten bij de verzekeraars. Het is echter de vraag of dat zo blijft. Het banksparen is nog erg nieuw en de markt is dus nog sterk in beweging. Banksparen is mogelijk interessant voor wie een nieuwe lijfrente of hypotheekspaarrekening wil afsluiten. Het afkopen van bestaande polissen is meestal zo duur dat overstappen zinloos is. Verder zijn oudere polissen vaak onder oude (meestal gunstiger) belastingregimes afgesloten en blijven ze daaronder vallen. Meer informatie vind je op www.eigenhuis.nl/banksparen.

Spaarloon

In loondienst kun je maximaal 613 euro per jaar belasting-vrij sparen met de spaarloonregeling. Het geld staat vier jaar vast, maar als je een huis koopt, onbetaald verlof neemt of gebruik maakt van kinderopvang kun je het geld al eerder opnemen. Doorsparen is zeer gunstig, want het scheelt belasting en je spaart voor een reserve. Ook wanneer je al je geld best kunt gebruiken, is het toch beter om in ieder geval íets te sparen via deze regeling.

Pensioen

Jarenlang kon je er op hopen dat pensioenen jaarlijks mee-groeiden met de inflatie. Omdat pensioenfondsen het me-rendeel van de door hen beheerde tegoeden beleggen, on-dervinden zij echter ook de gevolgen van de kredietcrisis. Ook hun beleggingen zijn minder waard geworden. De kans dat zij dit op de lange termijn weer goedmaken is groot. Deelnemers van pensioenfondsen kunnen eigenlijk weinig doen. Deelname is meestal verplicht, je kunt je geld niet weghalen. De hoogte van AOW en de leeftijd waarop je het krijgt staan ook ter discussie. In 2015 zal de AOW wor-den geïndividualiseerd. Je hebt dan zelfstandig recht op AOW wanneer de 65-jarige leeftijd wordt bereikt. Tot die tijd hebben 65-plussers met een jongere partner zonder ei-gen inkomen, recht op een aanvulling. Zowel AOW als pen-sioen kunnen in de toekomst dus lager uitvallen. Reden te meer om niet alleen te kijken naar koopkracht, maar te ver-trouwen op je eigen geest- en daadkracht. Je kunt de crisis aangrijpen om te kijken of je kunt rondkomen met minder. Als je weet dat je dat kunt, dan kan je niets gebeuren.

Checklist verstandig omgaan met geldzaken

	ja	nee
- Ik kan uitkomen met een maandbudget.	☐	☐
- Ik maak wekelijks post open, lees hem en berg hem op.	☐	☐
- Ik maak een maandbegroting met vaste en variabele kosten.	☐	☐
- Ik heb altijd een reserve waar ik onverwachte dingen van kan betalen.	☐	☐
- Ik ken mijn eigen prioriteiten.	☐	☐
- Ik heb geen betalingsachterstanden.	☐	☐
- Wij verdelen de inkomsten en betalingen als partners eerlijk.	☐	☐
- Ik ben bereid wat langer na te denken en rond te kijken bij grote aankopen.	☐	☐
- Ik bekijk jaarlijks of ik niet te veel aan vaste lasten betaal.	☐	☐
- Ik zorg voor een goede belastingaangifte.	☐	☐
- Ik weet op welke inkomensaanvullingen ik recht heb.	☐	☐
- Als ik iets buitensporigs koop, kies ik er bewust voor.	☐	☐
- Ik kijk of onderhandelen bij grote aankopen mogelijk is.	☐	☐
- Ik ben bereid de mogelijkheid van kleine besparingen te onderzoeken.	☐	☐
- Als ik koop op krediet, kies ik daar bewust voor.	☐	☐
- Bij het aangaan van een grote lening of hypotheek laat ik mij echt onafhankelijk adviseren.	☐	☐
- Ik leen alleen voor duurzame verkoopbare goederen.	☐	☐
- Ik weet dat er bij beleggen of investeren boven de 50.000 euro geen AFM-toezicht is.	☐	☐
- Ik spaar een bedrag zodra mijn inkomen binnen is.	☐	☐
- Bij een veilige bank met een goede rente.	☐	☐
- Ik ken de risico's van beleggen.	☐	☐
- Ik weet welk deel van mijn spaargeld onder het depositogarantiestelsel valt.	☐	☐

Boekentips

Samen rijk worden van Erica Verdegaal en Adriaan Hiele, Uitgeverij Balans, ISBN 978 90 501 8957 6

Genoeg Magazine verschijnt sinds twaalf jaar elke twee maanden. Het gaat over 'meer doen met minder', vanuit verschillende invalshoeken. Om het milieu en je portemonnee te sparen en een rustiger leven mogelijk te maken. Het staat vol inspirerende artikelen, interviews, columns en praktische tips om eenvoudig van het leven te genieten. Zie **www.genoeg.nl**.

Nawoord

Als je de 'checklist verstandig omgaan met geldzaken' hebt doorgelezen of ingevuld, kom je tot een bepaalde conclusie. Pak je dingen nu inderdaad beter aan? Ik hoop dat je door het lezen van dit boek bewuster bent geworden van de mogelijkheden die je hebt om je geldzaken wat beter te regelen. Ik hoop dat je sommige dingen al ter hand hebt genomen en je serieus voorneemt de komende tijd ook andere dingen te doen. Maak een lijstje met kleine klusjes. Administratie opruimen, je eigen prioriteiten op een rijtje zetten, je roodstand wegwerken, met je partner overleggen, je vaste lasten onder de loep nemen en je eigen koopgedrag bijstellen. Zet elke maand een klusje in je agenda. Maak er een goed voornemen van. Koop of leen andere boeken om je nog verder te verdiepen in bepaalde zaken. Het jaar 2008 was het jaar van de kredietcrisis. We maken in de komende jaren, samen met Obama en de Amerikanen een nieuw begin. (*Yes we can!*)

In elk geval veel succes!

Marieke Henselmans

Handige websites

Naam website:	voor:
www.9292ov.nl	openbaarvervoerinformatie
www.abonnementenopzeggen.nl.	opzegbrieven downloaden
www.autodate.nl,	autodelen
www.deelauto.nl.	
www.belastingdienst.nl	belasting terugvragen
www.berekenuwrecht.nl	kijk op welke toeslagen je recht hebt
www.cjp.nl	culturele kortingspas
www.condoomanoniem.nl,	voordelige condooms
www.stichting-jippy.nl	
http://consument.afm.nl/	AFM over geldzaken voor consumenten
www.consumentenbond.nl	consumententests
www.denieuwezorgverzekering.nl	uitleg over zorgverzekering van ministerie van vws
www.digid.nl	DigiD aanvragen
www.dnb.nl	site van De Nederlandsche Bank met Register Kredietinstellingen en Financiële Instellingen
www.energiebesparingsverkenner.nl, www.energielabelhulp.nl en	
www.energieprijzen.nl	over energie besparen
www.etenvooreentientje.nl,	voordelig uit eten
www.stadshap.nl	
www.fietsersbond.nl	onder andere diefstalpreventietips
www.fietsenscoort.nl	hoeveel bespaar je door te fietsen
www.fiets-tips.nl	duidelijke instructies met tekst en plaatjes
www.fietsrepareren.nl	
www.geldmuseum.nl	over het Geldmuseum in Utrecht
www.globalrichlist.nl	zien hoe rijk je bent
www.gratisaftehalen.nl,	kijk zelf maar
www.gratisoptehalen.nl	
www.huizenruil.com,	over huizenruil
www.holidaylink.com	
www.huis-hypotheek.nl	berekenen boete wegens het vroegtijdig oversluiten
www.ikstop.nl	Over stoppen met roken
www.independer.nl	vergelijkt verzekeringen
www.infofilter.nl	90% van de verkooptelefoontjes weren

www.intermediair.nl/ salariskompas	vergelijkt salarissen
www.kidsgids.nl	voordelige uitstapjes met kinderen
www.lastminuteticketshop.nl	meldt vanaf 12.00 uur welke voorstellingen in de aanbieding gaan, met 50% korting
www.milieucentraal.nl	(geldbesparende) milieutips
www.milieudefensie.nl	ja/nee-sticker voor brievenbus bestellen
www.mijnspaarrekening.nl spaarcalculator.htm	uitrekenen hoeveel je spaart
www.minszw.nl	informatie over langdurigheidstoeslag
www.greenwheels.nl/	auto huren
www.nibud.nl, www.nibudjong.nl	over goed omgaan met geld
www.nooitmeerrood.nl	besparen, uit de schuld komen/blijven
www.ns.nl/voordeel	kortingen trein
www.nvvk.eu	schuldhulpverlening
www.onlibri.nl	gratis non-fictieboeken
www.overgeld.nl	over geldzaken voor consumenten
www.rechtopgeld.nl	kijk waar je recht op hebt aan toeslagen
www.recepten.nl	recepten
www.rotterdampas.nl, www.stadspas.nl	kortingpas voor inwoners
http://sparen.startpagina.nl	alles over spaarrekeningen
http://sparen-duurzaam. startpagina.nl	alles over duurzaam sparen
www.telemarketinglijn.nl	voor klachten over verkooptelefoontjes
www.schuldige.nl	weblog over uit de schulden komen
www.sparenpagina.nl	alles over sparen, rente, veiligheid
www.stopeffectief.nl,	stoppen met roken
www.toeslagen.nl	toeslagen
www.treinreiswinkel.nl	aanbiedingen van voordelige treinreizen
www.studentenkeuken.nl	recepten van Voedingscentrum
www.studentensupport.nl	gratis studieboeken downloaden
www.vanspaarbankveranderen.nl	tips voor als je van spaarbank wilt veranderen
www.verhuurweb.nl	over verhuur van artikelen
www.voetafdruk.nl	over energie besparen
www.vraagalex.nl	alternatieven voor dure 0900-nummers
www.vrom.nl, www.woonbond.nl	over rechten van huurders
www.waterschappen.nl	zien onder welk waterschap je valt, voor eventuele ontheffing
www.weggeefwinkels.nl	winkels waar je gratis dingen kunt uitzoeken
www.woekerpolisclaim.nl	voor wie een woekerpolis heeft
www.zelfjeschuldenregelen.nl	advies over zelf je schulden regelen
www.zibb.nl/salariswijzer	vergelijkt salarissen

Over de auteur

Rondkomen gaat niet alleen over inkomsten en uitgaven. Je financiële huishouding is niet alleen het op volgorde leggen van bankbriefjes. Het gaat eigenlijk allemaal om bewust worden, om verantwoord met geld en budgetten omgaan, zonder dat je nu meteen een financieel expert hoeft te worden. Al jarenlang wordt Marieke Henselmans veelvuldig gevraagd voor het geven van workshops en lezingen bij gemeenten, bibliotheken, scholen, banken, bedrijven en andere (financiële) instellingen. Zij combineert haar expertise met heldere en duidelijke taal en inspireert met haar creativiteit en opgewektheid. Iedere doelgroep krijgt zijn eigen benadering. De lezing is steeds praktisch gericht en bevat een mix van nuttige informatie, inspiratie en humor.

Andere boeken van Marieke Henselmans

101 Goed met Geld Tips   *Nibud-agenda 2009*

Volgens het Nibud is Marieke Henselmans dé besparingsexpert van Nederland. Speciaal voor het Nibud schreef zij een leuk boekje vol praktische tips om slim met je geld om te gaan. Van prijzen vergelijken tot gratis uitstapjes in de zomer. En van verstandig lenen tot slim gebruikmaken van de uitverkoop. Het 'vrolijk besparen' staat centraal in het boek. Volgens Henselmans is het de kunst om zo weinig mogelijk uit te geven aan de dingen die je niet zo belangrijk vindt, waardoor je meer kunt overhouden voor de dingen die jij wel belangrijk vindt. Niet besparen op leuke dingen dus. Ze brengt de tips met humor en zonder te moraliseren. Het blijft tenslotte je eigen geld. Ze schreef ook de tips voor de succesvolle *Nibud-agenda 2009*. *101 Goed met Geld Tips* is te bestellen op www.nibud.nl.

Besparen maar!

Het maakt niet uit wanneer je begint te besparen. Elk jaar biedt kansen op een voordelig voorjaar, een zuinige zomer, een heerlijke herfst en een winter(bespaar)sport. Dat zijn de 4 delen van dit boek. We gaan in de lente opruimen, (goedkoop en milieuvriendelijk) schoonmaken, voordelig vrijen; we krijgen overzicht en gratis goede moed. De was kan steeds vaker buiten drogen in de zuinige zomer. We kunnen vast jampotten verzamelen voor de heerlijke herfst. Dan is het fruit voordelig, of zelfs gratis. Er is jam of wijn te maken van zelfgeplukte rozenbottels en bramen. Noten liggen voor het oprapen. De winter met al zijn dure feestdagen biedt talloze bespaarmogelijkheden. Ook bespaartips over feestdagen die in het seizoen vallen, van Pasen tot Pinksteren, van Koninginnedag tot Kerstmis. Verder tuin-en natuurtips, bijvoorbeeld over welke bloemen er gratis buiten zijn te plukken.

Wat nou lenen? Sparen!

Veel jongeren weten niet hoe ze met geld moeten omgaan en komen, met name wanneer ze op zichzelf gaan wonen, in de problemen. In *Wat nou lenen? Sparen!* slaat Marieke Henselmans de lezer met de cijfers om de oren. Je kunt geldzaken best leuker maken, en nog makkelijker ook. Rood staan, flitslenen, kopen op afbetaling en creditcards gebruiken zijn allemaal dure vormen van lenen die niet nodig zijn. Het is mogelijk om veel te besparen terwijl je toch lekker leeft. Wie de smaak te pakken krijgt, kan zelfs flink sparen. Met tips en tests, recepten voor lekker en goedkoop eten, filosofische wijsheden van de Chinese denker Ping Ping Huan en handige websites. Ideaal als cadeau voor studenten en jongeren die op zichzelf gaan wonen.

Consuminderen met kinderen, in tijden van overvloed

Kinderen duur? Welnee. Dat hangt helemaal van jezelf af. Er is bijvoorbeeld een groot verschil tussen alles nieuw kopen en het op een andere manier op de kop tikken. In dit boek kun je lezen hoe je dat aanpakt: van babyuitzet tot dure skates. Er valt veel te besparen op voeding, kleding, partijtjes, vakanties, games, mobieltjes en ga zo maar door. Soms is geduld nodig, meestal wat creativiteit. Maar de beloning is groot. Besparingen van duizenden euro's zijn mogelijk, als je maar een gedeelte van de tips uit dit boek toepast. Onder bespaarders is dit boek inmiddels een klassieker geworden.